佔領
龐克希爾號

張國立
著

愉悅與鼓舞的創新

——關於《佔領龐克希爾號》

林文義

忝爲首屆『皇冠大衆小說獎』初審委員，在經歷兩個多月的評選過程，小說的閱讀彷如一次愉悅的旅行。

那是一片多麼壯濶而美麗的文學原野，開滿相異的花樹，卻同樣的燦爛、生意盎然並且各有姿采。

我特別激賞《佔領龐克希爾號》這本題材秀異的作品。

南海的戰雲詭譎、一架台灣政府C一三〇武裝運輸機墜毀在南沙環礁地帶，遠在法國受訓的幻象兩千的種子飛行教官的長程冒險……構築成台灣文學四十年來最爲壯麗的另一新頁，令我逐頁不忍釋手，驚嘆連連。

華人世界所熟稔的好萊塢軍事名片『獵殺紅色十月』原出自著名的軍事小說。台灣文學四十年來不是沒有軍事小說，但大多流於所謂『光復大陸國土』或承命於國府當局的宣傳之作，居於解除戒嚴之前的高壓統治以及白色恐怖的灰暗年代，我們自是理解昔時作家的無奈與噤語。

而在一九九四與一九九五年之間，一本恫嚇台灣人民的《一九九五閏八月》卻也印證出某些台灣人民的無知與自私，出版社與移民公司交相互利加上中國大陸的軍事演習直逼台灣最北領土彭佳嶼，缺乏自信、重利自私的某些台灣人遂惶惶不可終日——《一九九五閏八月》毋寧是一次擦槍走火的惡意演出，但隨其音樂起舞更是令人不齒！

而《佔領龐克希爾號》小說的出現，卻是令曾經作為政治記者、副刊主編亦同樣為文學作者的我為之驚喜。

作者以冷靜、條理分明且豐富的軍事知識，將台灣海、空軍的經驗，實例真實而不浮誇的呈露給我們。作者沒有故意替台灣政府說話，他秀異的文筆下，能夠表演『眼鏡蛇』高難度的俯衝、停頓、昂頭爬升的飛行員林志霄，是個有血有淚、有情有義的台灣好男兒。而為了挽救所有被美國軍艦撞沉的同僚，不惜犧牲自我的台灣海軍艦長佔領美國旗艦龐克希爾號，險釀成國際軍事危機。

一如『皇冠』平鑫濤先生所言：『大衆小說獎所標明的定義就是好看的好小說。』我們曾經有幸捧讀過許多的『好小說』，但好看的『好小說』卻是難求，《佔領龐克希爾號》是我看過少數的好看的好小說。

張國立先生是個秀異的小說家，過去至今，一直無緣相見，但他豐富、扎實的軍事武器報導是我早已心嚮往之的壯濶世界，《佔領龐克希爾號》是他另創文學的高峰，深深的恭喜張國立，也祝福『皇冠』！

音速上的思緒

張國立

寫小說有嚴肅的時候，也有輕鬆的時候，這些年來我大致上是希望每年寫些不同的東西，因爲這樣比較有遊戲的味道，而基本上我是喜愛遊戲的。

七、八年前我想寫有點黃色的小說，就寫了《都市男女兵法》，接著又想寫些古典的，就寫了『皇冠』出版的《陰陽法王》和《無限江山》，三年前我又把腦筋動到軍事小說上，曾經把這個念頭告訴過幾個好朋友，他們的表情都相當特別，你知道，就是那種他雖然沒說，但你看得出來的表情，例如『你他媽的腦袋秀斗』或是『你有病』的表情。

後來因爲工作繁忙，軍事小說就一延再延，延到老共快把飛彈打到我家廁所馬桶裡了，正好『皇冠』辦了這個百萬小說獎，我是那種對『截稿時間』有特殊癖好的人，就眞的開始寫了。

跑軍事新聞是五、六年前的事，軍事一向是『時報周刊』的重點，在我之前出過幾個名軍事記者，而我跑軍事有點偶然，因爲前一任是馬維敏，他被『中時晚報』調去，於是當時的『時報周刊』總編輯莊展信問我有沒有興趣，我無可無不可的應了應，就這樣的寫起軍事稿子來。

在這段軍事的日子裡，我認識不少的好朋友，特別是空軍的幾個飛行員，大部份因爲還在部隊裡，我不便提起他們的名字，以免國防部當他們是洩密者，有一個則是已經退伍，而且他對我寫這本小說有很大的影響，說出來理當沒有副作用，那就是空軍戰術中心的第一任主任戚佩選。

戚佩選和每個飛行員差不多，都很自傲，大有放眼天空，問誰是老夫對手的味道。我的飛行知識啓蒙老師就是他，那時他還是台東七三七聯隊假想敵中隊的中隊長。

一九九三年左右，戚佩選已外調到新加坡，在台北經濟文化代表處擔任秘書，他顯得很頹喪，爲該退伍或是繼續留營而苦惱，那時他如果不退伍，就錯過轉到民營航空公司的機會

（年齡關係），如果退伍，又有點依依不捨，因此我們見面幾乎都是在有酒的地方，那時我問過他，等了這麼多年，終於幻象兩千和F-16戰機要回台灣了，他能放得下飛先進戰鬥機的機會嗎？

他沒有多說，只是一味的喝酒，我想，其實他是不想退的，只不過他在軍隊裡看不到清楚的將來展望罷了。

一九九四年的新加坡航空展，我在新加坡和他見面，他突然興奮的對我說，他有機會飛幻象了，那天上午，他秘密的在機場一角乘上法國參展的幻象兩千戰機，做了他軍旅生涯的最後一次戰機飛行。

那天我體會到一個戰機飛行員和戰機間難以言喻的感情，他是個老飛行員，可是飛行的前一天晚上他嚴重的拉肚子，而且可以看得出來，他一定是一晚沒睡。

戚佩選在退伍邊緣的掙扎，令我印象深刻，於是當我決定寫《佔領龐克希爾號》時，我的整個腦袋裡全是他的影子。空軍常說，飛戰鬥機是一項事業，絕不是職業。在戚佩選身上，我看到的是，飛戰鬥機也許不只是事業，而是一種近乎於嗎啡的毒品。對於軍人，最重要的是紀律和規則，但對任何把飛戰鬥機當成嗎啡的空軍飛行員，這些都變得無足輕重，重要的是一顆想飛的心、不服輸的自傲。

開始寫這篇小說時，我是在法國，去採訪一九九五巴黎航空展，六月的巴黎依然很冷，展覽會場的LE BOUGET機場風更大，雖然全世界的最佳戰機都來表演，但所有的人都最想看俄羅斯蘇愷二七和米格二九的表演，尤其是『眼鏡蛇』的動作。第一天我就看到了『眼鏡蛇』，一個俄國飛行員穿著很不起眼的抗G衣，一頭亂髮，還穿著雙破球鞋，就坐著小吉普車進跑道，當他在空中做完所有動作落地時，全場一片掌聲，而這個老毛子居然很不在意的又蹬著破球鞋下機，還馬上點起煙。其實全世界的戰機飛行員都一個德行，他們的光彩只在飛行上，而他們所追求的也只是馬赫數上的短暫的自己肯定。

躲在巴黎的ST. LOUIS INN小旅館裡寫這篇小說是我一生難忘的一段經歷，如同戰機飛行員，我也是在文字裡追求我的自傲，思緒是超過音速的運行。

關於海軍部份的專業知識，我則依賴時報周刊的攝影記者李安邦，他在海軍服役三年，所以實際上的經驗比我豐富，海軍用的術語便是他提供的。

這篇小說也許在專業知識上仍有一些缺陷，但我在寫之前的確下過一番功夫，我相信小說的魅力是『可能的不可能』，也就是所有的條件都是科學的，才能塑造出文學上的『不可能』，所以希望除了提供讀者一整個天空的想像空間外，還能因爲『可能』的因素，讓大家接受我的『不可能』。

在軍事上，我最仰慕的人之一是第一次世界大戰德國的空軍英雄李奇多芬，他一生擊落八十架的敵機，而且此人的自傲是超乎常人的，他曾飛過三翼的Dr.1戰機，他把飛機漆成紅色，在空中非常的明顯，他之所以這麼做，理由很簡單，歡迎任何人來向他挑戰，這就是自傲已極的戰機飛行員。在寫這篇小說時，我試圖把自己融入天空之中，這是我說我的思緒是超過音速運行的原因，那是種沒有經歷過的快感，希望我的快感能讓看這本書的人一同分享，我們一起把思緒向馬赫數突破。

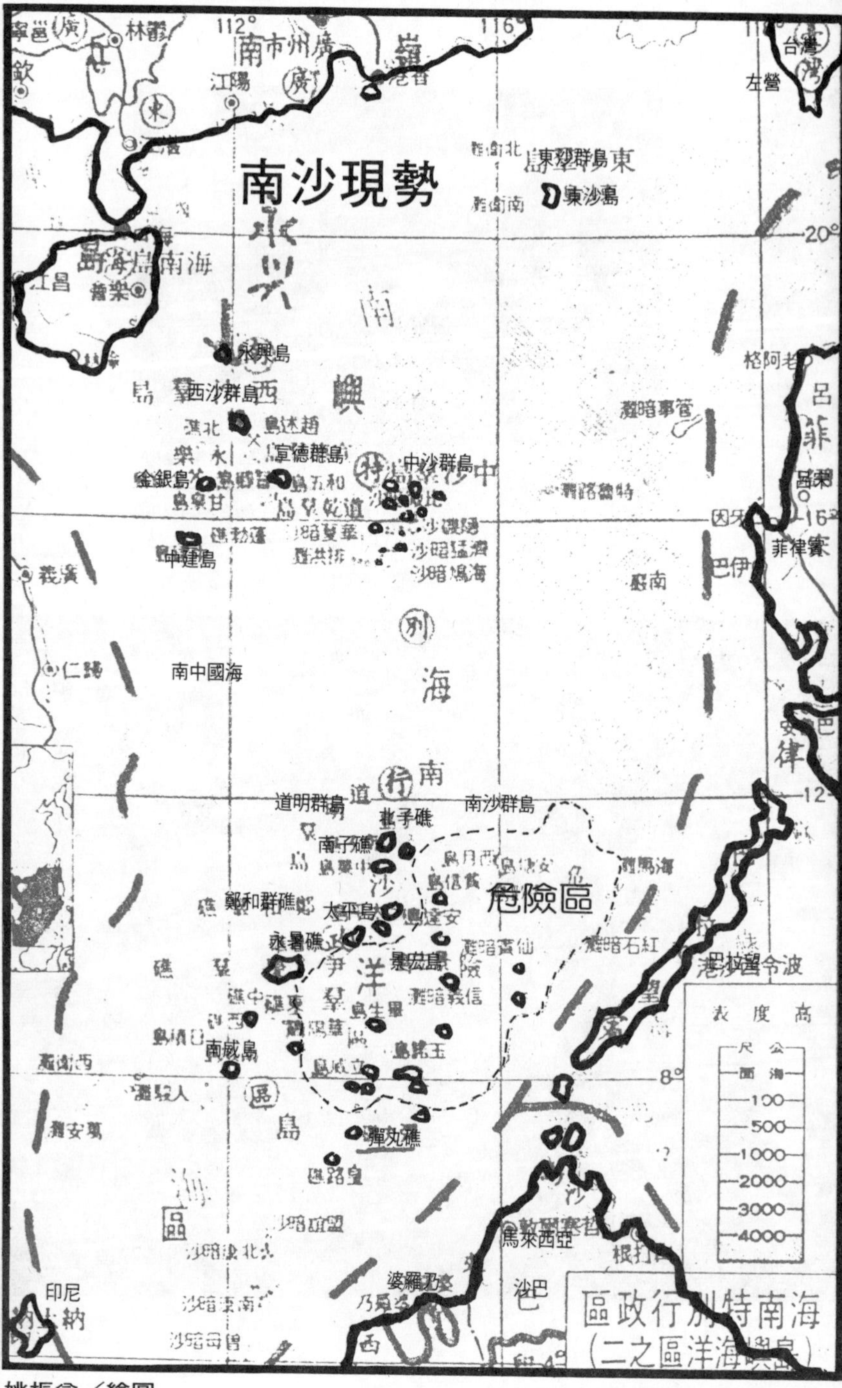
南沙現勢
東沙群島
東沙島
台灣
左營
西沙群島
永興島
金銀島
宣德群島
中沙群島
中建島
南中國海
道明群島
南沙群島
北子礁
南子礁
鄭和群礁
太平島
永暑礁
景宏島
南威島
危險區
彈丸礁
馬來西亞
婆羅乃
沙巴
印尼
菲律賓
呂宋
巴拉望
區政行別特南海
(二之區洋海嶼島)
100
500
1000
2000
3000
4000

姚振益／繪圖

⬆幻象2000-5戰機是我國首次採用美國以外的戰機，將我空軍戰機的反應能力大爲加強。

號稱全世界飛行性能最好的戰機——蘇愷二七戰機。

米格二九戰機，屬於空中纏鬥型的蘇聯戰機。

美國海軍的龐克希爾號飛彈巡洋艦，可說是全世界除了航空母艦外，火力最強的軍艦。 (U.S. NAVY)

❶我國海軍的主力
陽字號驅逐艦。

❶四〇年代出產的海龍級潛艦，是我國
唯一的『戰略性武器』。

⇧中共江衛級巡防艦，
是中共海軍的主力巡防
艦。 (JSDF)

⇧中字號戰車登陸艦，
艦首有門可以打開，供
戰車開出去搶灘。

第一章　失蹤的幺四洞五號

九月二十一日上午洞五幺五，位於台北市公館的空軍作戰司令部向總部發出緊急通報，編號幺四洞五的C-130H運輸機在從東沙運補完畢返台途中，於南中國海上空突然從雷達幕上消失，當時空軍的E-2T空中預警機正在高雄南方兩百海浬處執勤，根據該機的報告，幺四洞五號機於上午洞三幺洞時曾向該機做過聯絡，表示順利起飛，且進行『鵬展』計畫的測試，航向為沿北緯十六度線南飛，估計於洞五幺洞時的位置是東經十點七度，北緯十四點三度附近，也就是太平島周邊海域，但突然消失，失去任何的聯絡。

太平島上的雷達站亦回報，的確從上午洞四四五起就在雷達幕上掌握該機動態，但在洞五幺洞時光點消失。由於此次任務總部要求幺四洞五號機於起飛後和預警機完成開始執行任務的通報，即應保持無線電的靜默，因此在該機消失前，並未和地面或空中管制單位做過聯絡，也就更無從得知該機究竟發生什麼事故會突然的消失。

通報送至總部的一個小時之後，總部發佈命令，中止『鵬展』計畫，並立刻要求太平島和東沙島守軍協助搜尋么四洞五機的下落。

十五分鐘後，參謀本部通令三軍司令部，各軍種總司令於洞八洞洞至本部開會，並由空軍提出整個事件經過的初步報告。

空總參二劉興國中校奉命擬妥報告書，劉興國畢業於空軍官校七十二年班，歷任七三七聯隊四十四隊小隊長、中隊長，去年奉調至總部，他立刻召集所有幕僚蒐集相關資料，並對『鵬展』計畫做全面的評估。

『鵬展』計畫是在三個月前擬定的，主要內容是測試由C-130H運輸機對南海太平島做緊急運補和空中火力支援的可行性，以因應日益緊張的南海衝突。

以國軍現有機種而言，唯一能飛行一千海浬以上的軍機只有C-130H一種而已，其主要性能是：

飛行自重：34,686公斤

最大重量：70,310公斤
最大巡航速度：每小時325海浬
經濟巡航速度：每小時300海浬
海面上升率：每分鐘579公尺
上升限度：10,060公尺
續航距離：2,046海浬

更重要的是C-130H有四具發動機，在喪失其中兩具的動力後仍能繼續飛行，於空中的存活力高，負載能力也大，有能力對太平島做三萬公斤補給品的空投任務。內政部和國防部曾評估過在太平島建造機場的可行性，可是成本太高而放棄，在海上運補之外，對太平島最直接且快速的運補就是C-130H的空投。

參謀本部且下令，仿照美國的AC-130做法，將空軍現有的C-130H機隊中選兩架加裝武器，基本要求是么洞五厘無後座力砲和四〇厘砲各一門，二〇厘多管機砲兩門，另外考量於機腹或機翼下加裝兩枚雄風二型反艦飛彈，以期把這種運輸機改造成『空中砲艇』。

換句話說，參謀本部的希望是，一旦南海發生大規模的武裝衝突，且戰火波及太平島，空軍應該以二至四架的C-130H編組爲特戰部隊，飛至南海增援太平島守軍，此一編組中至少要有兩架是武裝飛機，能對敵人的水面部隊進行相當殺傷力的攻擊行動，並對執行空投任務的其他運輸機做必要的火力掩護，以彌補空軍現有戰機航程無法達到太平島的防禦空隙。

『鵬展計畫』最初是分爲兩個部份，C-130H的改裝爲對地支援機外，還有把現有老舊的C-119改裝爲轟炸機的計畫，可是初步評估的結果不是很理想，因而暫時中止，把全力放在C-130H上。

在這個要求下，由劉興國率領的『鵬展』計畫研究小組因而成立，所完成的第一架『空中砲艇』就是么四洞五號機，由於缺乏射控系統所需的若干重要零件，最後裝上的是兩門四〇厘砲、兩門多管機砲，及四挺的七點六二厘機槍，隨後即展開飛行測試，原訂計畫是從東沙完成燃料和彈藥的補充後，即直飛至太平島上空，再折回屏東的基地，全部測試時間估計是四個小時四十分鐘，如果一切正常，則在飛至屏東後再轉往台東外海進行實彈射擊，測試其武器系統，因此整個小組已有部份人員分別至屏東和台東基地進行部署，劉興國也計畫在上午十時搭機至台東，不料發生這次意外事件。

由美軍提供的衛星資料顯示，在太平島附近海域，目前有四艘菲律賓剛向南韓購入的百噸級巡邏艇，都沒有對空的武裝；中共也有九艘船艦在此一海域，包括五艘運輸艦、兩艘潛水艦母艦和兩艘補給艦，都是輕武裝船隻，也都沒有對空飛彈的裝備。

值得注意的倒是越南也有四艘船艦在太平島南方的景宏礁附近，其中兩艘是前蘇聯製造的PETYA級巡防艦，排水量約一千噸，主要武裝是兩門雙連裝的三吋艦砲，但射程僅有十五公里，對仍在百公里外的C-130H應不構成威脅。

而且在南沙各國所佔的小島礁上，迄今未發現有任何地對空飛彈的基地，即使有步兵用的肩射式防空飛彈，但其射高至多三千公尺，么四洞五號機所奉的飛行指示，則是保持航高一萬公尺以上，也沒有被肩射式飛彈擊落的可能。

從空中預警機和太平島雷達的資料來看，這段時間內在此一空域並無戰鬥機活動的動態，么四洞五也不可能受到來自空中的威脅。

那麼究竟是什麼原因使么四洞五號機突然的失蹤呢？機件故障？按照這種四發動機的大

型運輸機而言，除非在空中爆炸，否則不可能一下子消失，那又是什麼原因使它在空中突然的爆炸呢？

劉興國和太平島的陸戰隊守軍做了一次聯絡，要求守軍清查附近的海域，尋找么四洞五的殘骸，不過太平島只有輕型的快艇，無法離島太遠，所以對於這個線索，劉興國並不抱太大的期望。至於再派C-130H或海軍艦隻到南沙去調查，劉興國知道機率不高，因爲太過於敏感，但他仍然將這個建議寫入報告之中，因爲除此之外別無其他方法。他還建議向菲律賓、越南提出援助要求，利用這兩個國家在此海域的船隻對么四洞五上的飛行員進行搭救，可是上級批准的可能也微乎其微，畢竟『鵬展』非常機密，萬一給鄰國發現殘骸上的武器系統，加上其飛行的航線，可能會引起各國的抗議。

把報告完成後，劉興國立刻送至總司令辦公室，此刻各級長官都正在裡面開會，總司令一頭大汗的把報告看完後說：

『也只能這樣了，先送十份到參謀本部，等級是最高機密。』

從總司令辦公室出來，劉興國決定先去餐廳吃飯，接下來還有得忙了，總是先塡飽肚子再說，可是他才進餐廳，播音器就播著他的名字，要他立刻回辦公室，參三的李少將正等著他。李少將就坐在劉興國的座位上看著一份傳眞資料，劉興國敬完禮就站在一邊，等了有十多分鐘，李少將才把視線從資料上抬起來：

『這是美國太平洋空軍剛傳來的文件，他們抗議我們在執行鵬展計畫之前沒有知會他們，而且從他們的衛星資料來看，么四洞五的失蹤也毫無線索可尋。在么四洞五失蹤前的三分鐘他們曾發現有快速的飛行物體出現，估計速度在五個馬赫以上。』李少將笑著把資料遞給劉興國，『怎麼樣，你有什麼意見？是ＵＦＯ找上了我們不成。』

劉興國快速的翻閱資料，他不相信ＵＦＯ的存在，但李少將卻交代：

『把空軍所有和不明飛行物接觸的紀錄全調出來，也許萬不得已，我們得用ＵＦＯ來結案，哈哈，沒想到空軍會和外星人扯上關係。』

李少將起身要離去，他對劉興國說：

『把這份報告做得盡量詳細，我們得送給老美一份，滿足一下他們的第三類接觸幻想，免得他們老釘著鵬展計畫不放。』

所有的外電都沒有提到么四洞五的事件，各國也沒有對台灣提出任何形式的抗議，這似乎意味沒有一個南沙周邊國家發現此一事件，按照常理，在這個敏感時刻，各國對台灣軍機出現在太平島上空早就大肆攻擊了。

UFO，劉興國叫所有的幕僚都停止休假的做整理報告，其實空軍在這方面的資料很少，只有三年前花蓮基地的一架F-5E戰機曾報告發現一個快速的飛行體，當時地面雷達並無相關的發現，所以認定是飛行員眼花，沒有做進一步的調查，如今卻得把這個案子翻出來，劉興國覺得很荒謬，但這卻是他手中僅有的具體資料。

那個飛行員已在一年前退伍轉任遠東航空的駕駛，劉興國打電話到遠東給他的學長，正好那個飛行員休假，就把他請到總部來聊聊。

其實也沒什麼好聊的，三年前的五月七日，花蓮基地的三機編隊進行空中戰術訓練課程，其中一架跟不上隊，據這個飛行員說：

『突然之間有一個東西從我眼前掠過，而且很近，像光一樣的閃過去，我嚇了一跳，因爲雷達幕上沒有這個東西，後來我向聯隊報告，吃了一頓大排頭，他們還叫我幽浮張。』

根據花蓮聯隊的報告，當時的認定是幽浮張顯然沒有專心執行任務，脫隊後才找了個幽浮的理由來做解釋，聯隊長還把他停飛了一個月，要他重新檢討。至於幽浮張對那個快速飛行物所能有的形容只是：

『像個光球，一晃就沒了。』

劉興國認爲這是從軍以來所遇到最無聊的工作，他實在想不通難道老美眞會拿著這份幽浮報告當寶嗎？

意外的是太平島守軍竟然傳來一件驚人的消息，當地的陸戰隊守軍奉命巡視附近海域後，在西北約二十海浬處發現一個空的浮筒，初步鑑定是飛機上所用的副油箱，C-130H一般不掛副油箱，只有執行長程任務時才會掛，而此次出事的么四洞五號機的確是掛了兩具副油箱執行任務的。從各種資料來看，當時附近又沒有其他軍用機的活動狀況，只要那具副油箱是新的，幾乎就可以確定是么四洞五的所有物，這似乎說明么四洞五眞的出事了。

傳眞中並沒有對副油箱做詳盡的說明，劉興國馬上去電要求做進一步的確認，而這個消息也傳送到參謀本部，總司令來電話，要求整個總部的人員都停止休假，同時要求劉興國所領導的『鵬展』小組全員待命，調派至台東和屏東的人員也立刻返回總部，此時是上午么么三六，參謀本部已經開了三個半小時的會了。

太平島沒多久就傳回消息，副油箱上可以看到阿拉伯數字，1453-211，而且是全新的，幾乎沒有任何的損傷，劉興國向屏東基地查詢，沒錯，是么四洞五。

辦公室裡一陣騷動，電視新聞的第一條消息就是關於南海的，不過和么四洞五號無關，菲律賓一艘載運有各國媒體記者的運輸艦，在美濟礁東方十二海浬處被中共三艘運輸艦包圍，中共外交部發言人也對菲律賓提出嚴重的警告，指菲律賓這是第三次載運記者到美濟礁去，具十足的挑釁意味，如果菲律賓不立即把運輸艦撤回，中共將會採取進一步的行動，可是中共沒有說明所謂的進一步行動是什麼。

電視畫面是外國媒體從菲律賓運輸艦上傳回來的，可以明確的辨認出中共的三艘運輸艦是排水量三千一百噸的玉康級戰車運輸艦，艦上的主要武器是四門雙連裝的五七厘砲，這種砲的射程是十二公里，每分鐘可發射一百二十發，但對中高空的飛機不會構成威脅。

參謀本部的會議終於結束，總司令辦公室來電，劉興國隨即趕去，各單位的主管都在，劉興國是唯一的校級軍官，總司令劈頭第一句話就是：

『第二架鵬展的武器系統什麼時候可以改裝完成？』

海軍總部在同一時間也召開緊急會議，針對空軍『鵬展』計畫進行配合的任務，主要的方案有兩個，第一是派出特遣艦隊急赴南沙展開對么四洞五的搜救行動，第二是派海龍級潛艦擔負這項任務，後者較為隱密，是參謀本部比較贊同的做法，可是南沙並不適合潛艦的行動，水深不足。

海龍號艦長張青雲提出簡報，他認為由左營到北緯十二度的航行都不成問題，因為這一段的航道水深都在兩千公尺以上，也沒有暗礁，可是接下去就是航行的危險區，不要說是潛艦，就連水面艦隻只怕都不能放膽航行，許多地方水深不到一百公尺不說，暗礁更多，兩年前陽字號曾冒險進入礁石區進行探測，一路上航速不超過五節，還得不停的打聲納試深度。

么四洞五號機的失蹤地區正在暗礁地帶，那是南海最險惡的水域，潛艦絕對不可能進入，萬一觸礁，只怕連搜救的機會都沒有。唯一可能的是由潛艦擔任護航，在暗礁區周邊做巡邏，掩護水面艦隊的行動。

既然第一個案子不行，就只有第二案了，海軍原本計畫在七月對太平島進行運補，因爲中共和菲律賓爆發衝突，使海軍提前在四月底即進行運補，並把兩門從老陽字號拆下來的五吋艦砲運送過去，以增強太平島上的防衛能力，可是不料南海局勢快速的惡化，參謀本部要求海軍在年底再進行一次運補，把從法國新購入的西北風步兵防空飛彈和雄風反艦飛彈部署至太平島上，如今此一計畫要提前，一方面進行運補，另一方面也可對么四洞五號機做搜救。

這次的運補和過去不同，以往運補艦隊是由兩艘陽字號驅逐艦和一至二艘的中字號登陸艦組成，在這個時候若是仍以這個陣容去南海，只怕太過於敏感，因此參謀本部的主張是一艘陽字號配一艘中字號去即可，而且要求要老陽字號去，新的成功級和諾克斯級飛彈巡防艦不得參與這次的任務。中字號上除了運載食物和其他日常用品，加運武器和一個排的陸戰隊。太平島上原本就駐有一個加強連的陸戰隊，參謀本部認爲有必要加強，增加一個排的兵力是有必要的。另外隨飛彈去的還有一個連的飛彈部隊，約五十名官士兵。本部原想把太平島的守軍數量提升到一個營，可是太平島實在容納不下。

艦隊司令部提出的建議是派武進二號的陽字號去，因爲可預料不會出現來自空中的威脅，武進二號改良後的老陽字號上有五具雄風一型反艦飛彈發射器，加上新增的三吋快砲和四〇厘快砲，應足可應付來自水面的威脅，艦令部且建議要有休斯五百型小反潛直升機隨行，用作對么四洞五號機的空中搜索，否則憑水面的觀察只怕太有限。

艦令部也認爲既然打撈么四洞五號是主要任務之一，中字號的船舷太高，也沒有打撈設備，應該派一艘太字號的勤務艦同行，太字號有打撈和拖救的功能，C-130H又相當大，恐怕很難打撈起來，所以太字號有其用途，可是參謀本部已確定海軍只派兩艘艦前去，況且太字號同行會引起許多臆測，總司令決定海軍盡量把相關的打撈設備用最短時間改裝在中興號上，並且在中興號除原有的一艘水鴨子登陸艇外，再多帶一艘小型快艇，以便協助打撈的工作。

整個行動以運補爲先，在回程時則全力搜尋么四洞五號機，如果么四洞五號眞的遇難，則務必把殘骸完全打撈上中字號，行動的優先順序是：完全、速度。海軍總部同時也將在聯席會議中對空軍提出空中掩護的要求，特別是空中預警機的全天候提供資訊，畢竟水面雷達的死角太多，有些地方偵測不到，海龍號則擔任水中的護航。

會議中決定，陸戰隊和飛彈部隊在二十四小時內於左營集結完畢，中字號和陽字號也完成水油彈的補給，等參謀本部的命令一下即啓程往太平島，可是艦令部司令楊司令提出一個令所有與會者都不知如何回答的問題：

『報告總司令，特遣艦隊是否有假想敵？又以哪一方面為假想敵的對象呢？』

沒有人能回答，因為南海的局勢一天比一天複雜，除了菲律賓、中共和越南已有艦隻在當地之外，印尼和馬來西亞的海軍也有可能在近日內派出船艦至南沙，更值得注意的是中共南海艦隊近來活動頻繁，情報單位的分析，中共可能會在西沙進行演習，參與的將會有最新的江衛級反潛巡防艦，該型艦上配有直九型反潛直升機和新式的鷹擊反艦飛彈。

總司令最後下達指示，所有在南海活動的外國艦隻都列為假想敵，運補艦隊在出發前，會轉請外交部通知友邦，表明只是運補，沒有敵意，而且航道將選擇沿菲律賓的國際航道，以免鄰國發生誤會。

還有一個最困難的問題是總長要求海軍也提出與空軍『鵬展』類似的對太平島緊急增援

計畫，也就是一旦太平島遭遇敵人的攻擊，海軍如何在最短期間內進行增援。艦令部的構想是把蘇澳么兩四艦隊的成功級和諾克斯級巡防艦全數調至左營一兩四艦隊內待命，使主戰兵力能隨時出動增援太平島，但避免敏感，將以定期維修和新艦檢查的名義把主力艦一艘艘的調至左營，必要時並不惜發佈消息指成功級發生設計上的問題，全部回廠修復，如此也可降低潛在敵人的注意。

誰去執行這次的南沙運補任務呢？

總司令決定由艦令部在最短時間內提出建議人選的名單，再由相關主管開會決定，基本條件是冷靜與經驗，如果有必要可調更高階的人員來率領這個艦隊。

海軍總部的會議剛要結束，國防部來電，三個軍種的總司令在五十分鐘內全數至參謀本部開會，接聽這通電話的是總司令副官徐中校，他好奇的問，不是才剛開完會嗎？國防部的吳中校是他的同期同學，吳中校說：

『這次是大老闆，叫你們老闆把資料準備得齊全些，大老闆不好伺候喲。』

林永祥是在凌晨一時三十分左右被叫起床的，他正在台北大直的家中休假，他剛接任勾么四南陽號驅逐艦的艦長，已佔了上校缺，這是他當艦長以來的第一次休假，而他還有三天的假期，所以凌晨的電話最初令他無法相信說話的真是艦隊司令部的戰隊長，還以爲是同學開玩笑，他是同期同學中第一個接掌陽字號的。

惠娟勉強睜開眼睛問是什麼事，林永祥叫她繼續睡，他去一下總部，應該會回來吃早飯，惠娟沒再追問，一個翻身又睡過去。

是戰隊長的車子親自來接他，這使林永祥感到事情的嚴重，可是戰隊長穿著掛著三顆花的整齊軍服，只微笑的和他打了個招呼就閉目養神，林永祥連問的機會也沒有。

車子安靜的駛出眷村，劉金虎的父親脖子上圍著毛巾走在巷口，劉金虎曾對他說，想不通老爸爸爲什麼在深更半夜出去爬山，別人最早也要四五點才會出門去運動，不過七十二歲的老人有這股運動的衝勁總是好事。劉金虎也是七十二年班畢業的，和林永祥是同期同學，現在是兩洞四中興號的艦長，大部份時候負責台金間的運補工作。劉金虎天生暈船，中字號是平底船，台金線的風浪又特別大，林永祥常想不透劉金虎是怎麼過日子的，不過劉金虎似乎是愈暈愈來電，他掛在口頭上的名言是：

『美國海軍上將尼米茲說，他當了四十年海軍只有四年不暈船，在官校的四年。』

也許劉金虎已經克服了暈船的毛病吧。

眷村離總部很近，五分鐘後車子就駛進總部，整棟大樓燈火通明，戰隊長帶著林永祥直驅總司令辦公室，這是林永祥第二次進總司令辦公室，前一次是一個月前他剛被派任陽字號艦長時。

他被奉派去南沙，與過去不同的，這次只有他一艘驅逐艦，同行的是一艘中字號，劉金虎的中興號，往常戰隊長或艦令部的長官會隨行擔任艦隊的指揮官，這次也例外，林永祥就是艦隊指揮官，而且航空兵部隊還將派一架500MD作爲艦載機。陽字號上的確有直升機甲板，但因爲海上風浪大，空氣中含鹽分高，對直升機的傷害程度高，長久以來就不再搭載艦載機，機庫早轉爲官兵活動室，甲板也空下來供休閑用途，如今至南沙的長途航行竟有直升機隨行倒是頗出意料之外的。

林永祥被選中擔任這項任務的理由是他表現不錯，而且冷靜，總司令拍著他的肩膀說：

『任務很複雜，這不是件好差事，我要能忍得住氣的人去。』

林永祥不確定自己是否能忍得住氣，他所得到的指示只是儘可能的避開一切可能發生衝突的地區，保持高度警覺。

內政部也有官員來到總部，這次行動將有內政部的三名官員隨行，其任務在重新對太平島做領土宣示。參二對南沙的情勢做了詳細的報告，國軍駐守在太平島是個事實，各國對太平島的主權認定並沒有不同的主張，所以海軍的運補照理不會引發各國的干預，可是么四洞五號機的事件使林永祥此行顯得很敏感，況且太平島守軍曾對侵入水域的越南船艦開過砲，一旦得知太平島又加強武裝力量，難免又會有一番叫囂，那麼中興號所運載的五吋砲、西北風飛彈和雄風飛彈，在裝卸過程中也要特別謹慎，且是第一級的機密。

在航行的路線上，這支運補支隊可能遇到的狀況，首先是西沙附近中共南海艦隊的演習，目前演習的實際範圍不詳，但可以從參加艦隻的衆多來推斷，可能會擴至西沙的東面海域，也就影響到運補支隊的航道，儘管中共把越南和菲律賓視爲主要敵人，大致上不會對國軍的船艦有所動作，可是演習中的實彈射擊會對運補艦隊形成相當程度的威脅。

沿著國際航道南下，運補支隊會接近菲律賓的巴拉望島和該國所佔有的太平島東北方諸島礁，外交部已將此次行程知會菲國，理論上不會有問題，菲國海軍的兵力十分有限，不至於對運補支隊挑釁，但在外交的立場上來看，如果菲律賓眞有動作，林永祥所得到的指示仍是忍讓爲先。

么四洞五號機也就可能墜落在菲國所佔島礁的範圍內，這個地區的平均水深不到一百公尺，尤其是太平島西方的鄭和群礁，深度常在十數公尺左右，對水面船隻而言非常的危險，執行搜救任務時要盡量依賴艦載的500MD直升機，參二不建議陽字和中字號硬闖危險水域。參二同時提出建議把500MD就留在太平島上，作爲島上的運輸和緊急任務之用，總司令當場否決，理由是島上沒有維修設施，若是在島上建立維修站也太花錢和人力，最主要的還是擔心各國以此來攻擊中華民國政府。

越南海軍在此一海域的艦隊有北上的跡象，那就會和運補支隊碰上，所以運補支隊應儘快完成運補，離開太平島到北方去尋找么四洞五號機，避免和越南海軍在海上遭遇。參二的評估是，中共和菲律賓海軍都不會對運補支隊有不利的舉動，最令人提防的應是越南海軍，而且該國的主力艦隊都集中在南沙，兵力大，行動時也較不會有太多的考慮。

全部運補行動預計七天內完成，包括尋找么四洞五號機，若是發現殘骸，可延長在此的作業時間，以期不留下一顆螺絲釘在南海。

對於自衛的行動條件，戰隊長提出一個建議，就是當運補支隊遭遇任何國家船隻或飛機做存心對我艦隻造成傷害的攻擊時，我艦即可進行自衛的反擊。究竟什麼是『做存心對我艦隻造成傷害的攻擊』呢？戰隊長解釋說，例如在武器的射程之外，對方使用打不到我艦的武器對我艦開火，這形成不了傷害，只能算是警告式的射擊，我艦應和對方進行溝通，不可急著還擊。

林永祥心裡有數，就是當敵人把砲彈打到自己軍艦上才能還擊，這是宗挨打的任務。他沒有把心裡的話說出來，因爲總司令顯然完全同意戰隊長的規定。

總部參三甚至還建議運補支隊的砲火管制權交至艦隊司令部，不過總司令不同意，他說：『既然我們選擇了林永祥來帶艦隊，砲火管制權當然也交給他，不在第一線的永遠不要指揮第一線部隊什麼時候開火。』

艦令部已通知南陽號的全體官兵停止休假返回左營軍區待命，劉金虎的中興號也已從基隆出發趕往左營會合，林永祥感受到軍情緊急的氣氛，從總部出來他就被送到松山軍用機場，沒有時間回家，連在路上買套燒餅油條的時間也沒有。他出門前對惠娟說要回去吃早飯的，顯然又得黃牛。

總部為他安排的是一架C-130H送他回南部，一個年輕的上尉在機坪上等著他，很有禮貌的敬禮並且大喊『長官早』。

林永祥過去坐過一次C-130H，這種運輸機又稱為力士型，是空軍替代『老母雞』C-119的新機種，機首是駕駛艙，後面則是客貨艙，用來運貨和載空降部隊，靠著機壁是兩排尼龍繩的座位，人坐進去彷彿是窩著身子，想睡個覺卻沒法子讓頭有地方可以靠，只能垂著脖子，一覺睡下來不扭了脖子也得瘦上好幾天，而且機艙內沒有隔音設備，發動機的聲音至少是七十分貝以上的噪音。令林永祥最忘不了的是機內的冷氣，空軍的待客之道似乎就是冷氣，能把人凍死，冷氣管還會滴水，比起搭中字號到金門也好不到哪裡去，林永祥曾想以後就算是坐國光號也不坐C-130H，人算不如天算，這次不但不能不坐，還得帶著艦隊去南沙找這種飛機。

上尉沒讓林永祥坐到貨艙去，他引林永祥到駕駛艙。

『報告艦長，我們前面的頭等艙還有位子。』

駕駛艙內前方是正副駕駛的座位，另一個中尉笑著向林永祥打招呼，應該是副駕駛，而副駕駛後面是通訊官，也是個中尉，都像是官校畢業不久的小空軍。靠著機門還有一個座位，上尉說那是機工長的座位，今天的任務機工長未隨行，所以空下一個座位，林永祥也就不必到後面去吹冷氣了。

林永祥和空軍並不熟，只有在步兵學校接受入伍教育時，認識同連的幾個同期的空官同學，其中有一個在四年級時候摔掉了，另一個沒通過飛行的身體檢查，也提前退出，聽說後來插班考進了台大。他現在只記得其中一個的名字，叫林志霄，天生的空軍名字，而且在步校受訓時數他最皮，也只有他有膽子偷班長的內褲掛在豬欄上面，為此全班還一起被罰禁足，所以想到林志霄，林永祥還真沒什麼好感，不過他還是提起這個名字，沒想到小上尉和小中尉馬上吹起口哨，上尉說：

『報告艦長，你認得我們偉大的學長啊，他被派到法國去了。』

『去法國？調到聯二去了？』

軍人調到國外幾乎都只有一個原因，就是調至國防部聯二，再派到國外的使館或辦事處任武官，可是林志霄那個痞子怎麼也不像是坐辦公室的人。

『不是去聯二，』上尉說，『是去法國受訓。』

『難道去接幻象戰機？』

上尉笑了起來。

『報告長官，我們什麼都沒說喔，是你洩漏軍機的喔。』

天底下的空軍只有兩種，劉金虎說的，皮的和不皮的，皮的在地上，不皮的在空中。

通訊官殷勤的送來一杯咖啡。

『報告艦長，我們沒有空中小姐，不過我們有三合一咖啡，孫越牌的。』

林永祥倒有點不好意思，上尉卻說：

『報告艦長，以後我們空軍上船你要多照顧喔，我們不會暈機，可是十個有九個會暈船，你們開船拜託挑風浪小的地方走。』

大家都笑了起來。

飛機起動了發動機，即使在駕駛艙，聲音也夠吵的了，沒有人再說話，林永祥則也看著窗外，他沒想到連打個電話給惠娟的機會也沒，他和惠娟好不容易才在最近改善了關係，現在假還沒休完，他又不辭而別，惠娟一定又在生悶氣，做軍人和做軍人的老婆都眞難哪。現在也不是想這些事的時候，他要睡一睡，到了左營就沒時間休息了。

第二章 中越西沙砲戰

就在劉興國對屏東和台東基地的『鵬展』人員通過電話要他們儘速返回台北待命後，終於可以走向餐廳，可是總司令辦公室又傳出命令，全員就位待命，這是一級狀況，除了演習之外，劉興國加入空軍以來從未碰到過，他只有按照規定，攜帶必要的裝備坐回他的座位，而所謂的必要裝備就是他的『鵬展』作戰計畫。

辦公室內一片沈寂，每個人都緊張的坐在辦公桌前，沒有人敢問究竟出了什麼事，是電視新聞把消息報導出來，中共在西沙演習的南海艦隊和越南的軍艦發生衝突，雙方都開砲射擊，迄今爲止，尙不知戰況如何。

是日本一個商用衛星拍攝到西沙的衝突，畫質不是很好，但可以看出兩邊的船艦部署，顯然中越雙方的船艦是在目視範圍內交火，中共的艦隻較大，卻只有兩艘，越南的船艦較小，有四艘。四艘小船佈成半月形，把兩艘大船包圍在中間。衛星電視的新聞播報員訪問了退役的前海軍中將，也就是戰略學會的趙中將，他在螢幕上說，根據畫面，中共的兩艘軍艦應該是江滬級巡防艦，而且是早期的江滬級，越南方面則是前蘇聯所造的大型巡邏艇，可能是SO-1型，依火力來比較，越南不會是中共的對手，但中共的江滬級上儘管有四枚飛龍式反艦飛彈，卻未必會使用。趙中將說，這是個複雜的政治問題，也許發生的海上衝突是突發事件，各開個幾砲互有若干的傷亡還算好處理，如果有一方把另一方的船給打沈了，那就眞成了戰爭事件。他認為中越會對這次的衝突採取節制的處理方式，不致讓它擴大，以求面子裡子都能顧到的結果。

趙中將是戰院的教授，劉興國上過他的課，趙中將在課堂上最喜歡以中越共的海戰作為現代有限戰爭下海戰的範例，是南海問題的權威，劉興國對南海問題的認識也來自於這位已年近八十的老先生。

從一九八八年三月十四日赤瓜礁海戰以來，西沙就一直是中共和越南間最大的領土爭議地區，越南為了發展經濟，有求於中共，於是在雙方的關係改善之後，西沙問題不再那麼嚴重，直到近年的南沙問題，才使西沙局勢再現緊張的態勢，只是沒想到兩邊竟然會開火射擊。

西沙位於北緯十七度至十五度之間，地理位置上，正好是在東沙與南沙的中央，威脅到從台灣到南沙的航道，這使劉興國直覺的聯想到么四洞五號機，難道是么四洞五號在飛經西沙附近上空時被誤擊，畢竟中越共這次的西沙衝突絕不是偶然的，之前必有一些跡象，么四洞五號機飛經這個地區會不會被中越共誤判爲對方的間諜機，而將之擊落的？

整個總部也都有這種臆測，各部門的主管都又集合到總司令辦公室去，李少將特別來電話要劉興國準備前兩次中越海戰的資料，立即送往總司令辦公室。其實無須準備，早在劉興國的腦袋裡了。

電視新聞又有新的報導，中共的外交部發言人對越南發表強烈的抗議，同時越南也通過外電指責中共海軍於演習時侵入越南的海域，且對越南的巡邏船隻開火射擊，越南軍艦才在自衛的原則下反擊，但兩邊都沒有提到擊落不明飛機的事。

第一次中越海戰發生於一九七四年，當時的越南是指西貢阮文紹政權，衝突發生的原因，據中共方面所發表的資料是越南海軍在一月十七日砲擊掛有中共國旗的甘泉島，隨後又派驅逐艦護送一批士兵登陸甘泉和金銀二島，十九日再派兵登陸有中共軍隊駐守的琛航和廣金二島，並有三艘驅逐艦和一艘巡防艦向中共的兩艘反潛艦與兩艘掃雷艦發動攻擊，引發的海戰是由中共方面佔了上風，把越南的巡防艦當場擊沈，而且兩個島上的守軍也擊退了登陸的越南海軍。

第二次海戰就是一九八八年的南沙赤瓜礁之戰，三月十三日中共陸戰隊登陸赤瓜礁，宣佈其為中國領土，十四日越南共黨政權的兩艘登陸艦也運來登陸部隊，雙方立刻發生大戰，中共海軍技勝一籌，把越南軍艦擊沈一艘，迫使越南退兵。

劉興國在報告上寫道：

『當年在西沙是先佔者為王，中共和越南發生武裝衝突就是因為雙方同時要搶一個島，現在的南沙局勢也是各國紛紛搶佔島礁，而且派兵駐守其所佔的島，擴建島上的設施，美濟礁衝突即因此發生，以現階段的狀況來看，難免發生衝突，此為不可避免的現象。』

劉興國想到即將出發的運補支隊，萬一這支艦隊在途中遇到其他國家的武力衝突，以海軍艦艇的航速來看，要立即脫離戰場幾乎是不可能，而船艦上的雷達搜索範圍又有限，根本對周邊海域的狀況無法確實的掌握，那麼現在要把運補支隊送去南沙，豈不是把他們送進不可預測的戰區裡去。

想到這裡，劉興國不禁一身冷汗，誰也沒料到南海的武裝衝突竟然說發生就發生了，就空軍的立場自然不能不對海軍的運補支隊提供必要的支援，可是現有的F-5E戰機作戰半徑只有五百多海浬，連東沙都到不了，唯一能做恐怕只有出動E-2T預警機，且儘可能的南飛，把蒐集到的情報轉給運補支隊，可是E-2T的一般飛行高度是一萬公尺上下，很容易被敵人偵測到，本身又無武裝，在這種敏感時刻飛入南海是否會有安全上的顧慮呢？

李少將打電話來催資料，劉興國決定不要想太多了，何況依他的階級，他也不必考慮太多，就把建議送上去讓長官們操心吧。

作戰司令部透過美國方面傳回來西沙海戰的翔實狀況，的確是兩艘中共江滬級巡防艦和越南的四艘大型巡邏艇，在中建島西方十二海浬處發生戰鬥，中共的一艘江滬級先被擊傷，但不嚴重，不久中共兩艦同時發射飛龍飛彈，擊中兩艘越南軍艦，沒多久即先後沈沒，其他兩艘即逃逸，結束了這場戰鬥，全部經過爲時約十八分鐘。

這是一個很不尋常的消息，中共海軍竟會使用飛龍反艦飛彈？依照過去的戰例，中共海軍都相當節制，如今發射反艦飛彈，顯然是想徹底擊毀敵艦，莫非中共海軍受到的就是這種指示，以便向周邊國家提出警告？

雖然西沙的海戰告一段落，南沙的局勢卻又緊張起來，太平島雷達站傳回最新的消息，在南面的越南海軍艦隊目前正往北移，已逐漸接近太平島。越南在太平島周遭佔有十多個島礁，其中大部份都是無法駐軍的彈丸礁石，而越南艦隊原來所在的位置是景宏島附近，也就是一九八八年中越共海戰赤瓜礁旁，原來參謀本部判定，越南艦隊集結在此，可能是對赤瓜礁的中共駐軍示威，如今艦隊北上，則有可能是向永暑礁北方的中共艦隊挑釁。中共的這支艦隊是以運輸艦和潛水艦母艦所組成，火力有限，越南艦隊則有兩艘PETYA級巡防艦，不管越南艦隊是否會對中共艦隊進行攻擊，這個行動勢必會把在西沙演習的中共南海艦隊主力艦隻引來，而永暑礁距太平島不到八十公里，如果中越共在永暑礁附近對峙，太平島就會陷入尷尬的困境，因為誰也控制不了砲彈，萬一砲火波及太平島，那麼台灣守軍是否要自衛的展開反擊？又對哪一方面進行反擊呢？再說一旦太平島周遭成為戰區，對於搜救么四洞五號機的行動必會形成妨礙。

太平島回來的報告是該地的守軍已進入全面的戰備，並且要求台灣給予指示，何種狀況下才可開火。在今年二月下旬，越南的運輸艦曾進入太平島海域，當時守軍曾警告性的開火，後來引起越南方面的強烈抗議，當時參謀本部曾下令，守軍要對警告性的射擊時機再做檢討，避免捲入國際糾紛之中，可是多次反覆的研究，迄今仍無定論，太平島雖然是南沙最大的島，但也有限，若讓有敵意的船艦太過於接近，守軍將會喪失有利的防禦時間。現在問題再次出現，參謀本部的通知再來到空總，各軍種的作戰和情報幕僚均至本部集合參加會議，這使總司令辦公室的會議提前結束，李少將匆忙的來到參二辦公室，他把劉興國叫到他的房間，交給他一份資料。

『劉參謀，你的建議案很好，收拾一下東西，半個小時之後和我到本部去報到，事情越來越複雜，總長剛才還打電話問總司令IDF的訓練狀況怎麼樣了，老天，不會麻煩到連IDF都要備戰吧。』

劉興國行完禮出來就趕到戰情中心，他要了解一下目前的整個情況，執勤的軍官告訴他，兩架E-2T已經升空，在五架F-5E的護衛下往台灣南方水域飛去，淸泉崗的IDF大隊也奉命做掛彈的巡邏飛行，電戰機和反潛機也都全天候待命。

林永祥在屏東基地下機後，艦令部的車已等著他，把他立刻送回左營，在司令部內，他第一眼就看到劉金虎，劉金虎顯得很疲倦，他對林永祥苦笑的說：

『王八孫子，我那條船的推進器有毛病，搞死人，正在搶修，不知道去不去得成。』

副司令主持作戰會議，在場的還有么兩四艦隊艦隊長、成功級的兩位艦長、么四六勤務艦隊艦隊長和十多個司令部的幕僚。副司令一開始就指明，這次的行動視同作戰，一切均以作戰爲要求。

計畫比林永祥所想的要大上許多，『鵬展』計畫的陽字號和中字號行程不變，在五個小時之內出發，由兩艘成功級巡防艦和四艘陽字號制海艦擔任護航，到東沙海面護航艦隊停止，鵬展的運補支隊南下，若是中共的南海艦隊向東移動，則護航艦隊按照計畫，以牽制的行動移至北緯二十度附近。海龍和海虎兩艘潛艦已經出發，位置是菲律賓和西沙中央的深水區，監視中共南海艦隊的動態。

副司令在會議後特別把林永祥和劉金虎叫到他的辦公室去關照一番，他說：

『誰也搞不準南沙的狀況會演變到什麼地步，你們反正記住，把貨儘快運到太平島，馬上回航去找空軍那架鳥飛機，遇到任何國家的船艦都以避開爲上策。林永祥，你要好好檢查你船上的飛彈，不過盡量不要用到飛彈，中共方面不管怎麼對你們說，一概不理。』

在過去，海軍也曾在南海水域多次遇到中共的船隻，中共方面總是設法和海軍的船打交道，不久前太平島也曾收到中共的電訊，對方要求太平島守軍在南沙衝突時要站在大中國的角度，爲保衛歷史和民族的領土而戰。當時國防部所下的指示是，不予理睬，裝作沒收到，畢竟就現實的立場來看，台灣和馬來西亞、印尼與菲律賓都有不錯的外交關係，台灣商人也在這些地區有很大的投資，說什麼也犯不著去破壞這種關係。

副司令說：

『他媽的，上面的命令含糊籠統，誰搞得懂他們那些玩政治傢伙肚子裡的主意，反正我只知道，咱們台灣就守好太平島就對了，其他的，他們愛怎麼打是他們家的事。』

副司令罵起人來是天下第一，這是他升不成將官的唯一理由，他倒也不在乎，反正他有兩個醫學院的兒子。

出了副司令的辦公室，林永祥和劉金虎到參二和參三的辦公室去轉了圈，希望能得到最新的資料，參三的作戰官小張是他們的學弟，見到他們就直吹口哨：

『學長，恭喜啊，全海軍只有你們有希望得到戰功，四十年海軍找不到有戰功的人，你們這是第一次有這種機會的人哪。』

劉金虎破口大罵：

『你在家抱老婆，說個屁風涼話，你看我馬上去向副司令報告，我說非你陪我去不可，你是聲納專家，我正好用得上。』

空軍的兩架E-2T已經升空，其中一架直飛東沙島附近的上空，另一架只兜個圈，空軍剛從美國接回這兩架飛機，運作上還不是很熟悉，所以其中一架只上去試試就落地，以後將會輪流上空擔任警戒工作，以便協助海軍的南沙運補支隊了解敵情。

林永祥不禁感到法國幻象機和美國的F-16尚未交機眞是遺憾，否則這兩種戰機的續航力大，就可以對艦隊的防衛有很大的幫助。步校時候的同學林志霄在法國受訓，應該是幻象2000-5戰機的飛行員，如果有林志霄同行，那就熱鬧了。

中共的南海艦隊還停留在西沙海面，沒有南移的跡象，可是越南艦隊卻接近太平島，島上的陸戰隊已進入戰備，目前島上大約有一個加強連約五百人左右，最大的武器從老陽字號上拆下來的五吋艦砲，那是一種二次大戰末期開發出來的老砲，另外還有四○厘快砲，大致上對付想登陸上岸的小部隊不成問題，但對停留在水域內的船艦就沒有辦法，這些砲的射程仍是十分有限的。

中共負責支援美濟礁的幾艘運輸艦和潛水艦母艦則無動靜，可能是存心要留在那裡看越南艦隊又能怎麼樣。

碼頭上相當熱鬧，陽字號停泊在東碼頭，勾么四南陽艦正忙著裝彈藥，副長周文傑一臉迷惑對正要登艦的林永祥說：

『報告艦長，我們怎麼會突然去南沙，而且只有我們一條陽字號船，老共和越南都已經開戰了啦。』

林永祥只笑笑沒回答，他打算在船出港後才宣達命令，免得船上的充員兵大驚小怪。從艦上可以看到右邊中字號碼頭也亂成一團，兩座五吋砲正吊在半空中往船上移，劉金虎已然打起赤膊的站在船舷大吼大叫。

稍遠處的西碼頭是成功級和諾克斯級的停泊地點，兩艘諾克斯級正緩緩靠岸，另外兩艘成功級和兩艘諾克斯級已停在那裡。林永祥想，讓成功級和諾克斯級來為老陽字號護航，可眞是罕見的精采場面。

對於即將出航，林永祥倒絲毫不緊張，他並不怕戰鬥，也認為以陽字號的火力足夠對付越南和菲律賓的小船了，中共也不會笨到主動來挑戰的地步，這趟任務最困難的是找空軍么四洞五號，不過他最擔心的是惠娟。和惠娟是高中同學，他考軍校惠娟就不贊成，官校那四年他每逢放假就左營、台北的跑，惠娟的家世不錯，自己也用功，從台大畢業以後就進了外商銀行，薪水比林永祥還多，有不少同學還羨慕他討了個好老婆，但有誰曉得他活得還眞辛苦，尤其惠娟的公司要派她到紐約去工作一年，處理當地中國客戶的業務，這當然表示惠娟的工作很受上司的肯定，而惠娟當初是為了他才沒繼續去美國念碩士，這次林永祥除了鼓勵惠娟去之外，他實在不能再把惠娟留下來了，所以他也努力爭取去美國念書的機會，總部原則上同意，也有公費，林永祥並不在乎要再簽兩年的約，他痛苦的是他對念書一點興趣也沒有，他喜歡的是海和水手身上的汗臭味，他認爲那才是生活。這次休假回去他收到托福的成績單，五百八十五分，超乎他想像的高，惠娟很高興，兩天來兩個人談的都是去美國以後的生活。她的哥哥和姐姐都在美國，她打算到紐約就住在姐姐家裡，但天知道林永祥是多恨惠娟的一家人，在她家人眼裡，軍人是沒有出息，是沒地方好去的人才會去幹的差事，他幾次想打消去美國的念頭，但看到惠娟興奮的模樣，他話到了喉嚨又全吞回去。

惠娟對他當軍人並沒有太大的意見，只是她受不了軍人不固定的生活，她曾經說：

『你只要一出門，我就永遠都不會知道你在哪裡，直到你回到家爲止。』

怎麼辦呢？惠娟早該起床去上班了，會不會因爲他在吃早餐時沒回家而不高興？他要打個電話回去，他得告訴惠娟，她的老公又要失蹤一些日子了。

軍人娶的大部份都是軍人家庭出身的女孩，比較容易接受這種飄浮不定的工作，當初父親也不同意這樁婚事，認爲惠娟吃不了苦，父親是對的，可是也只有林永祥自己知道惠娟爲了嫁給他付出了多大的代價。

平常休假和工作成爲規律，林永祥還不覺得什麼，他最怕的是臨時的緊急任務，特別是他休假的期間發生，惠娟對於林永祥的休假都是也請假來陪他，她總是很興奮的弄出一堆出去玩的計畫，他已經讓惠娟白請了好幾次的假，幾個月前就因爲林永祥臨時取消休假，使他們夫妻陷入空前的低潮，惠娟甚至說她一個人去紐約也好，這是林永祥後來拚了老命去考托福的主要原因。

碼頭旁就有公用電話，幾個士兵正排隊打電話，林永祥不想回辦公大樓去打，在辦公大樓裡講電話沒有秘密，他耐著性子等，他不知道要如何對惠娟說。

士兵禮貌的請他先打，他說沒關係，等電話是不分官階的。

是惠娟的聲音，她大概正和她的美國老闆在說話，叫他等一下，只聽到惠娟的英文呱啦呱啦的，她的英文眞好，考托福之前惠娟還爲他上了不少課。終於英文變成國語：

『你又有緊急任務啊？』

林永祥不好意思的嗯了一聲，他才想起來，今天晚上原本是要陪惠娟到她老闆家去吃飯的，她老闆好像結婚二十週年吧。

『沒關係，』反而是惠娟安慰他，『這次你要去哪裡，不會是南沙吧，電視新聞全是南沙的事，到底怎麼搞的，我老闆剛才還問我，說南沙有沒有台灣的份，我說我們有個太平島在那裡，沒說錯吧，是南沙最大的島。』

林永祥決定不把這次的任務告訴惠娟，他說：

『我和金虎去金門，這趟比較久，大概一兩個禮拜吧，不好意思，今天晚上不能陪你去你老闆家了。』

『沒關係，都是公司同事，白天見面還不夠，晚上又得碰面，煩死人。對了，弄點高粱回來，我老闆愛死金門高粱了，他五分鐘前還說，用我這個職員最大的好處是隨時有高粱，問題是老闆娘恨死我啦，我那老闆一喝穩掛，偏偏愛逞英雄，你這個大英雄今天不去也好，免得他找到對手，又得看老闆娘皺眉頭的了。早點回來，我要和你商量一下，你申請的三個學校裡，我看紐約的好，免得兩個人分兩個地方花錢，不划算。』

『我得走了，』林永祥的話突然間哽住，隔了好久才在惠娟喂喂的聲音裡說，『惠娟，我愛你。』

排在後面的是艦上最皮的二兵落卡，他對著林永祥說：

『我也愛你，艦長。』

所有的兵都跟著大笑起來，林永祥苦笑一下，他看到中字號碼頭上一座吊車正在把一艘快艇往中興號上吊。

劉金虎不在他的船上盯著貨物上船，反跑到南陽艦上來，見到林永祥就喊起來：

『喂，永祥，我的船沒問題了，不過跑不到十二節，你一路上得放慢速度。他媽的，你知道他們在我船上裝了多少東西，光是米就怕沒有幾百斤，兩門五吋砲、四門四〇厘砲，還有老陸向法國買回來打飛機用的西北風飛彈。他們想幹什麼，想把我的老船壓得腰也直不起來啊。』

這次的任務實在很複雜，副長已把直升機庫內的電動玩具全搬光，一架500MD在甲板上轉著螺旋槳。副長向林永祥報告說：

『報告艦長，航空隊的這架飛機正在試起降，不過不隨我們出海，等我們離開了台灣才會飛到海上來會合。』

直升機捲起的風幾乎把林永祥的軍帽給吹飛，劉金虎把林永祥拉進艦長室：

『聽說你考過了托福，眞他媽的托我的福，你老婆告訴我老婆的，你決定去美國了呀，你這種人能到陸上去過日子，還是美國？我看你頭殼眞壞了。你和惠娟的事我最清楚，惠娟為了嫁給你吃了不少苦頭，可是這和你的前程不能扯到一起去秤斤兩呀。要不要我叫我老婆去找惠娟開導一下，你這個年紀去念書，回來眞只有去官校教書的份，你受得了我每天出海送魚回來給你加菜啊。』

林永祥沒回答，他也不知從何回答起，直到此刻，他仍沒有去美國的意願。學長裡有好幾個去美國念書，回來也多指望外派去當武官，差不多到時候就等著退伍好移民，可是林永祥對移民沒有半點的興趣，他離不開船，要好好在海軍裡混，他是不該把時間浪費在出國念書上。

『算了，』劉金虎站起身，『當我沒說。你知道我那條船上還有什麼，一個排的陸戰隊去太平島換防，十條豬到南沙去開PARTY，這還是我第一次運豬哪。唯一減少的重量是內政部的大官說不去了，免得敏感。艦令部來通知，么么兩五出航，這次不夜航了，我早就說，人家衛星一天二十四小時在我們頭頂轉，就算是夜航也騙不了人，艦令部的參謀說，這次我們要打鑼打鼓的去，像嫁女兒似的出發。』

劉金虎回自己船上去，在南陽艦的舷梯旁他對林永祥說：

『同學，好好保重，南沙回來我去對惠娟說，你不是當美國人的料。』

林永祥拍拍劉金虎厚重的肩膀：

『謝啦，這趟船我有的是時間好好想。』

在陽光底下劉金虎就顯得精神十足，他喜歡陽光，即使在步校人曬得脫好幾層皮，他也只會直呼過癮。他舉起兩手迎向陽光：

『讓老共來，讓越共來，看老子的破船怎麼打死你們這些王八蛋。』

劉金虎向艦尾的軍旗行過禮，把舷梯踩得晃個不停的離去。

么么兩五出航，林永祥低頭看看錶，時間也差不多了，直升機甲板上的500MD升空離去，左營的太陽把他曬得睜不開眼睛。

美國的太平洋艦隊是在么洞兩五離開日本的橫須賀軍港，海軍總部從參謀本部得到的消息，美國海軍表示這是一趟敦睦行動，將會經過台灣海峽到香港，再到新加坡，過去美國艦隊爲了避免中共的敏感，從不走台灣海峽這條航道，都是沿台灣東方的太平洋到菲律賓的蘇比克基地。撤出菲律賓後，也是走同樣的航線到香港，因此這次向台灣通知要走台灣海峽就非常的不尋常。

總部的研判，可能是美國爲了平息南沙戰火，刻意的派太平洋艦隊走這一回，憑藉其強大的火力，鎮壓各國不得在南海掀起戰爭，而且極可能是東南亞國協向美國提出這個要求的，以免戰爭破壞了各國在這個地區的利益。

本部的聯二也提出另一個看法，認爲美國艦隊即使到南海，也不必經由台灣海峽，而美國國務院發言人日前還又重申尊重一個中國的立場，犯不著非走台灣海峽來刺激中共不可，因而研判美國的選擇這條路線，倒不是怕兩岸因南海問題打起來，絕對是擔心兩岸在南海紛爭中站在同一立場，這是美國最不樂於見到的事，果眞如此，海空軍在派艦隊和軍機到南海去的行動上就得格外當心，免得老美眞以爲兩個中國要聯手控制南海。

美軍的艦隊是以CV-62獨立號航空母艦爲中心，其他尙有兩艘巡洋艦、兩艘驅逐艦、兩艘巡防艦和兩艘補給艦，這使海軍總部又再陷入混亂之中，有人主張，美國艦隊明明就是針對南海而去，陽字號和中字號應該迴避，因爲空中和海底護航的預警機與海龍號潛艦會成爲美軍搜索到的主要目標物，萬一引起不必要的誤會就很划不來，而若是把預警機和潛艦召回，運補支隊又沒有了掩護，不如不去。另外一種主張則正好相反，認爲趁著美軍行動的機會，各國在南海不敢有行動時，把必要的物資送上太平島，也把空軍的運輸機殘骸徹底打撈上來，么四洞五號機可能墜落的地區水很淺，美軍不可能接近那個水域，運補支隊不會有顧慮。

在緊急會商之後，參謀本部決定『鵬展』計畫不變，照原來擬定的目標執行，不過先把E-2T召回，由地面雷達站監視運補支隊的行動，海龍號則暫時保持在東沙附近的海面，等候進一步的命令，同時東沙島的跑道立即進行整理，以便C-130H隨時進駐。

空軍在接到命令後，E-2T和伴隨的F-5E戰機即折返回台南基地，劉興國和他的『鵬展』成員也對第二架鵬展機進行最後的調整，這架飛機目前停在台中基地，由中山科學院爲它做改裝，所有的武器早就完成安裝，也進行過測試，但是在么四洞五號的意外事件後，航發和中科院的人員對飛機做檢查，以便了解么四洞五可能遭遇的狀況，現在參謀本部決定在十二個小時內完成鵬展二號機的作戰準備，這是爲了考慮到海軍運補支隊萬一遇敵，可以有起碼的空中支援，沒有人敢對南海的情形做預測，即使是美國艦隊到達這個海域，說不定只是使情勢更複雜而已。

國安局在上午宣佈偵破一起匪諜案，被捕的是兩名大陸中年男子，都持有香港護照，他們供稱是來台灣做生意，可是國安局在他們租的公寓裡發現有許多軍方流出的資料，其中被國安局認定爲最高機密的是空軍飛行員赴法國接受幻象戰機訓練的計畫書，當初這批飛行員是以商務考察的名義赴法的，可是這點無法向大衆公開，使得這起間諜案遭到民間的抨擊，認爲國安局破壞兩岸的關係，更何況被捕的兩人都是拿香港護照，這些年由大陸到香港的大陸人很多，有許多是商人，甚至持其他國家的護照經常來台，以此來判定對方是間諜未免太武斷。

一下子全台灣的焦點都集中到兩名間諜身上，南海衝突變成次要話題，劉興國覺得這樣也好，免得么四洞五號事件被報紙挖出來，可是他隔壁辦公桌的『飛鷹』計畫人員卻翻了天，因爲空軍飛行員到法國受訓是絕對的機密，兩個老共特務怎麼會把完整的計畫弄到手上呢？國安局和政四保防人員來到空軍總部，『飛鷹』計畫每個成員都被叫去問話，總部內頓時氣氛低迷，『匪諜就在你身旁』的警語重新被政戰部門提出來。

『飛鷹』的人一向很神秘，雖然和劉興國在同一個辦公室裡，劉興國從來不問他們的事，這倒不是他怕惹麻煩，而是他自己已經被『鵬展』搞得頭昏腦脹，實在提不起情緒去問別人的事，沒想到因此國安局連問也不問他。

就劉興國所知，『飛鷹』很單純，把空軍的飛行員送到法國去接受幻象戰機的飛行訓練，回國後擔任種子教官，如此而已，他不相信這件事會是多了不得的情報，過去空軍也送了好幾批人到美國去接受C-130H、T-38、E-2T的訓練，即使現在，也有一批人員在美國接受F-16戰機飛行和維修的訓練，老共如果連這種事都當成情報，也未免太無能了，國安局更太大驚小怪，除非『飛鷹』還有其他的內情。劉興國想到林志霄，那個空軍的寶貝，原來參三不打算派林志霄去法國的，他是空軍有名的搗蛋份子，可是作戰司令部卻力保他，在空軍他的飛行技術是出名的。前年海軍成功級巡防艦進行防空系統演練，由空軍擔任假想敵，結果林志霄輕鬆的就突破了成功級的防空網，等他都飛過成功艦的頭頂，海軍還沒發現他的飛機。林志霄成了空軍的英雄，海軍卻提到林志霄的名字，沒人不咬牙切齒的。

林志霄也出身於台東的七三七聯隊，他原本是被看好的下一任戰術中心主任，沒想到他寧可去法國受訓練回來當教官，也放棄戰院的考試，在部隊裡沒有戰院的資歷，等於沒有大學文憑。林志霄有句名言，是當著總司令面前說的，『我當空軍就是爲了飛，飛最好的戰鬥機，等了這麼多年才等到幻象和F-16，教我不去飛，不如把我槍斃算了，只是我會死得不甘心。』

就是那句話使他成了第一批被選派去法國的飛行員，聽說他在法國也常出狀況，李少將不久前去法國看受訓的飛行員回來，提到林志霄還猛搖頭，他說林志霄向法國打聽怎麼進傭兵部隊，說是如果眞得退伍，他要到法國去當傭兵，誰教他老頭給他取了個志霄的名字。他老頭在空軍也是赫赫有名的人物，駕駛U2被老共飛彈打下去而殉職的，林志霄考進空軍官校有各種長官的照顧，也許這也是造成他天不怕地不怕的原因之一吧。

下個月第一批受訓的飛行員要回台灣了，空軍又有得熱鬧了。

政戰部主任到各單位巡視，他對所有的人說，『飛鷹』洩密事件在沒查清楚之前沒有人有嫌疑，大家不必擔心，要專心工作。主任也問起『鵬展』的進行狀況，劉興國照實報告，主任語重心長的說：

『你們接下來要辛苦了。』

劉興國想起來，他要打電話回去教女兒這幾天自己照顧自己，從離婚以後，女兒就跟著他吃苦，明年要考大學，可是老爸爸也沒空陪她，想起來劉興國就覺得慚愧，他曾對女兒說，什麼人都可嫁，就是不准嫁給軍人，軍人眞不是成家的料。

台中來電話，鵬展二號機完成準備，他立刻向李少將報告，李少將的命令是：即刻進行武器測試。

第三章　飛鷹和鵬展

林志霄輕鬆的帶起機頭，把幻象戰機竄進雲層裡。法國的訓練單位在兩個月前就同意讓他單飛，他也是所有十二個台灣空軍飛行員裡第一個放單飛的人，對其他十一人，這一點也不意外，在台灣的時候林志霄就是他們的偶像。

這一天林志霄決定做一項法國人絕不同意的測試，他打算在空中關機，幻象2000-5是單發動機的戰機，就安全性而言當然比不上雙發動機，因為不像雙發動機，當一具發動機故障時還有一具可以撐上一陣子。過去林志霄飛F-104G時，就遇過發動機熄火的麻煩，么洞四也是單發動機，當他才剛爬到高度極限時，發動機竟然熄火，而且不論他怎麼重新發動，也打不起來，最後不得已，他從玉山山頂附近開始滑行，到了台南外海才跳傘，雖然損失了一架飛機，卻創下么洞四故障的高空逃生紀錄。

那次經驗使林志霄對么洞四一度有飛行恐懼症，他甚至對任何的單發動機戰機沒有信心，在他接觸了幻象以後，他改變了過去的看法，況且他也必須打破存在於內心深處的這種潛在恐懼。

他在飛至一萬八千公尺的高度時，毫不猶豫的關掉發動機，飛機最初是緩緩的下滑，接著就像陀螺似的向下轉，這和么洞四不同，么洞四的翅膀短，關機以後根本是往下栽，高G的壓力會使人喪失意志力，有過這種經驗，林志霄對陀螺般的下墜，就顯得相當自在，他在高度降至一萬公尺時嘗試開機，沒想到一點就著，他再一拉機頭，幻象的後燃器點燃之後，如同有人在飛機後面死命的推，這一衝，林志霄又回到一萬八千公尺的高度。他聽到地面管制台的人員用法文哇啦啦的直叫，問他發生了什麼事，林志霄的法文是全隊最好的，他也和管制台的朱利歐很熟，就胡說八道起來，說他剛才看到一個有翅膀的天使，把他嚇了一跳。朱利歐用義大利文罵起來，朱利歐原是義大利人，在法國的軍隊裡，可以找到全世界任何種族的人。

林志霄看看油量表，足夠他再做幾次實驗的，他想乾脆就把突破九G的試驗一傢伙全做了。美國的戰機對於G力的要求很嚴格，只要飛機超過標準的G力，飛機就會自動提出警告並且增減速度，防止飛機因失速而出事，法國戰機也許和民族性浪漫有關，超過規定的G力，電腦只會警告不會干預飛行，因此幻象2000-5的手冊上雖然說明最大G力是九個G，但眞正能做到幾個G卻沒人知道，林志霄想來試試，這次的飛行沒有攜帶副油箱和武器，照理是能做比較大的運動的。就在他準備加速時，通話器裡傳來中國話。

『娘的，林志霄你又給我出狀況，馬上給我下來，否則我立刻把你送回台灣去。』

是領隊馬大個的聲音，他原是少將聯隊長，奉派領第一批學員到法國來受訓，林志霄就只怕他一人，因爲他眞有權把人送回台灣去。

林志霄老實的回報立刻回航，他又是幾個翻滾，降至雲層下，他可以看到諾曼第海岸白花花的浪頭和綠油油的一大片草地。

馬大個在跑道頭等著他，劈頭就罵：

『你最聰明，把飛機摔了以為法國人會再賠我們一架是不是？收拾行李，明天一大早到巴黎等飛機回台灣。』

馬大個的聲音才是全世界最大的，法國人連他說問候的話都以爲是在罵人，不過這種人也只會罵，吃晚飯時他就會忘了剛才的事。

吃晚飯時沒見到馬大個的人影，直到就寢前，馬大個才把林志霄和楊易帆叫到他的房間，馬大個說：

『星期天你們得飛到英國去，那裡有個航空展，法國人要你們飛去做表演。』

馬大個停住話，看著林志霄和楊易帆的表情。這是很不尋常的事，因爲去航空展表演當然是法國人的事，怎麼也不該要老中去替他們飛。

『你們對表演應該沒有問題吧，而且你們也做過空中加油的練習，有信心吧。』

空中加油？林志霄想不通，英吉利海峽就那麼點寬，哪會用得著空中加油，看馬大個的神情，一定有蹊蹺。

『報告長官，有事就直說，我們到底要飛到哪裡去？』

馬大個笑了起來：

『好，林志霄，有你的。』

這是『飛鷹』計畫，英國的汎保羅航空展上，法國要促銷幻象2000-5戰機，所以派飛機去參展，他們認爲台灣飛行員的技術已經很成熟，尤其是林志霄，被法國空軍評爲世界一流的飛行員，這次汎保羅航空展上，俄羅斯的蘇愷三十五戰機也要去，誰都知道那是當今全球性能最好的戰機，推力大，運動力強，能做出其他戰機根本做不出的『眼鏡蛇』動作，所謂的『眼鏡蛇』，是在一九八九年巴黎航空展時，一個叫做普卡契夫的蘇聯飛行員做出來的，他在進入表演區時，把速度降至每小時四百二十五公里，然後突然把機頭拉起到五十至六十度，再把機頭重重放下，這個動作就像是眼鏡蛇昂首吐舌一般，當時使各國都爲之震驚不已，認爲這是戰機不可能做出的動作，因爲不小心，戰機會因速度過慢而失速墜落，或者飛行員在把機首重重放平時，由於承受的G力過大，很可能會昏過去。以後各國也對『眼鏡蛇』做了深入的研究，最後承認蘇愷二十七是全世界第一的戰機，也只有蘇愷二十七做得出『眼鏡蛇』。蘇聯還表示，把機首拉到六十度還不是極限，最大的程度可以拉到九十度。

『意思是要我做眼鏡蛇了。』林志霄說。

『沒錯，你做得出來嗎？法國人說，他們仔細評估，在不掛彈、不掛副油箱的情形下，幻象的剩餘推力是可以做出眼鏡蛇的，只是誰也沒把握，不過前一陣子法國巴黎的航空展上，俄國的米格二十九也做出眼鏡蛇，法國人就更相信幻象機絕對也可以做這種動作，如果在汎保羅航空展幻象機露這麼一手，那會是俄國戰機以外，第一次做出眼鏡蛇的飛機，法國人要推銷幻象就更容易了。』

馬大個露出狡獪的笑容，林志霄當然知道這是激將法，他絲毫不在意，不過這倒是個有趣的問題，他從沒想過去試試『眼鏡蛇』，也許這兩天他就該試一下，按照飛機的性能，在做『眼鏡蛇』時，如果推力不足，飛機可能會失速，又因爲飛機是處於低空低速的狀態，想要挽救都來不及。他以前看過蘇愷二十七的表演，蘇愷三十五是二十七的性能提升型，機艙下方加裝了兩片輔定翼，他看過電視新聞上蘇愷三十五不僅做出昂首的『眼鏡蛇』，還做出低頭的『眼鏡蛇』，也就是把機首朝下壓，再重新抬起來，這對戰機而言根本是不可能的動作，蘇愷全做到了，現在他要用幻象來做？

『眼鏡蛇』運用在空戰時，試想，戰機可以在敵機從高處俯衝下來時，突然拉起機首對衝下來的敵機開火，這是多可怕的動作。

蘇愷的發動機推力和機體重量之比約在一點三左右，現代戰機對推力重量比的要求是大於一，也就是推力大於重量，使戰機有較大的剩餘推力，這可以讓戰機能負載更多的武器出擊，也有更大的運動力，但推力重量比能大到一點三的也只有蘇愷了。幻象2000-5是頂尖的戰機，按照手冊上說的，它的發動機推力是一萬公斤，空重是七千五百公斤，如果只加有限的油而且不配掛武器，理論上也是可以達到很大的推力重量比。

『好極了，我來試試看。』林志霄肚裡盤算，在表演之前要努力的把油料消耗得差不多，做完『眼鏡蛇』再一個拉升就可以降落，這是讓幻象有最大推力重量比的機會。

『我也要做嗎？』楊易帆謹慎的問。

『讓林志霄一個人做，我還得多留個飛行員下來，反正林志霄摔了，全空軍大概都會拍手。』

林志霄沒理會馬大個的挖苦。

『長官，這和空中加油有什麼關係？』

馬大個瞪著兩眼看林志霄，林志霄不甘示弱的回瞪他。

『好，我就明說了，你們在表演完以後要落地加油，掛副油箱飛回法國，在途中轉變方向，直接飛回台灣。』

林志霄和楊易帆都愣住，直接飛回台灣？

這就是『飛鷹』計畫的具體內容，台灣方面急著要飛機，按照合約，法國達梭廠的進度已經落後，於是法國人就想出這個主意，先送兩架已完成的幻象去台灣，由於這是新的機種，法國人本身對幻象2000-5的性能也不是很有把握，何不利用交機來做一番測試。

整個行動是以英國的汎保羅航空展做掩護，法國向英國說是由法國的飛行員把飛機直接從法國飛到英國去做表演，做完以後加滿油再飛回法國，途中在法國轉向，那麼神不知鬼不覺的就能讓幻象直接飛回台灣。幻象的續航力當然不足以飛回台灣，途中將有幾次空中加油，都是由法國方面安排的，法國在北非、中東都有關係良好的國家，同意法國的加油機使用他們的機場，台灣方面也和新加坡聯絡好，可以在新加坡降落加油。

這是個大膽的計畫，馬大個說：

『法國政府怕老共，法國空軍可不怕，再說合約書上是規定把飛機交到台灣，可沒說怎麼個交法，萬一以後行動外洩，法國空軍也可以對他們的政府打迷糊仗。現在的問題是，你們做得出「眼鏡蛇」嗎？還有能空中加油嗎？』

林志霄馬上回答：

『拚了命也做。』

馬大個看向楊易帆，楊易帆也不猶豫的回答：

『我跟隨學長。』

飛回台灣的將是頭兩架出廠的雙座型，全程都不帶武器，連機砲子彈都沒有，換句話說，是兩架無武裝的戰鬥機，這是法國方面的要求，因爲即使所經過的國家對此有意見，也會因飛機是無武裝的實驗飛行而不至於太過刁難。飛行路線和行動須知則要到星期六才會交給馬大個，但這兩天林志霄和楊易帆將會有更多的時間飛行，也會進行一次空中加油的模擬演練。

林志霄和楊易帆住在同一間寢室，回去之後楊易帆顯得很沈默，林志霄拍著他肩膀：

『小楊，不要擔心，幹軍人就是這樣，頂著頭皮往前飛就對了。』

楊易帆卻搖著頭：

『我不是擔心這個，而是，你知道我兒子都已經出生半年了，我連他的面都沒見過，準備了一大堆禮物，總不能裝進幻象戰機裡帶回去吧。』

林志霄大笑起來：

『這個簡單，我們飛的都是雙座機，後座正好裝你兒子的寶貝，能裝多少就裝多少，你不會連紙尿布都全在法國買的吧。』

台灣的空軍總部爲了『飛鷹』計畫傷透腦筋，基本上讓兩架幻象戰機直接從法國飛回台灣是很好的方法，可以讓飛行員有長途飛行的考驗機會，這是過去台灣飛行員想都不敢想的歷史性航行，加上法國和新加坡都會提供支援，相信計畫不會有問題，可是在執行之前卻發生匪諜案，空軍不能確定中共方面是否已知道『飛鷹』的內容，如果從中搞鬼，事情就會變得複雜。對外而言，美法兩國在出售戰機給台灣時，都表明會拆掉機上的空中加油設備，實際上並沒有拆，『飛鷹』計畫的關鍵就在空中加油，中共只要得到這份計畫，馬上就能知道其中的玄機，萬一對美法施以外交壓力，台灣的新一代戰機可能非把空中加油設備拆掉才能運回台灣，這對二代戰機的交機時間都會造成很大的延誤。

兩個匪諜在國安局死也不肯開口，雖然國安局的評估是他們下手抓人的時間很早，匪諜應該還來不及把『飛鷹』計畫傳回大陸，但現在傳眞機這麼發達，誰也不敢打包票。

『鵬展』已是箭在弦上，如今『飛鷹』又突生變數，使參謀本部陷入空前的緊張狀態之中，就南海局勢的發展，如果幻象能早一天回台灣，會對空軍有很大的幫助，至少中共會有些投鼠忌器，即使只有兩架幻象，也會產生很大的心理效果，參謀本部最後決定，再看一兩天，若是中共已經得到這份計畫，應該會在短時間內有動作的。

間諜案遭到民間強烈的攻擊，香港的人權團體和台灣的人權組織結合，要求國安局立刻放人，在幾年前也發生過類似的事件，那個被指稱爲匪諜的香港人的確是無辜的，在三年的官司之後，台灣還是得放人，引起香港人對台灣很大的不滿，如今抓到眞正的匪諜，卻也得不到民間的信任，放羊的孩子哪。

立法院要求國安局長到院去說明，可是『飛鷹』實在不能曝光，連對國民黨的軍系立委也不能明說，國安局長被罵得頭皮都發臭，他也只好忍著，堅持不放人。

兩個匪諜的妻子也來到台灣，她們都是道地的香港人，連普通話都說不清楚，這使民間對兩個匪諜的同情心更加強，總統府下了指示，要妥善處理此事，但怎麼個處理法呢？

海軍的南陽艦和中興艦準時在么么兩五啓航，林永祥在和劉金虎通過話之後下令收油水管，同時也下達車舵令，南陽艦上響起拉三長的笛聲，接著『三纜收回』，在複誦聲裡，軍艦緩緩離開碼頭，林永祥可以看到成功級上的官兵也正忙上忙下，而稍遠處的水星碼頭，有兩具巨大的黑色魚鰭露在水面上，那是海虎和假海龍，用木殼做成的海龍，眞正的海龍已經在五個小時前先出發了。海龍會是林永祥此行唯一可仰賴的支援，但他和海龍不能有聯絡，像是西方神話裡的天使，林永祥只知道它會在那裡，卻永遠不能確定它是否眞在那裡，而根據上級所給他的指示，過了中沙，大約北緯十三度左右，海龍就停止前進了，直到運補支隊回航，才會再有這天使的存在。

軍艦以九節的速度航行，中興艦在後方一百公尺努力的跟上，艦後仍留下一大片的黑煙，林永祥很擔心，已有四十年船齡的中字號早該淘汰，可是海軍的新艦來源也有限，如今預算又用在一級計畫的成功級和諾克斯級上，中字號也只有老當益壯，自求多福了。劉金虎說中興艦的故障已排除，林永祥不太相信，金虎的個性太好強，他絕不會在執行任務之前把任務推給別人的，反正這趟航行也無秘密可言，就讓中興艦有些喘息的時間吧。他對航行値更官艦務長朱火貢說：

『就以這種航速前進，管制所有通訊，和中興艦保持燈號的聯絡距離。』

林永祥和補給長到直升機甲板上去，航空兵派來的五個維修人員已在機庫裡忙著爲軌道加油潤滑，頭頂上也傳來直升機的螺旋槳聲。

500MD眞是小，全部重量不到一千五百公斤，這是專門爲了老陽字號所改裝的反潛直升機，在過去除了演習之外幾乎沒用過，主要考量是擔心隨艦出海會影響其使用的壽命，沒想到這次居然出現在南陽艦上。

直升機直接就落在甲板上，動作相當漂亮，一點也不拖泥帶水，一個小上尉一手壓著頭上的帽子，彎身走到林永祥面前行禮：

『報告艦長，航空兵500MD正駕駛賴正中報到。』

林永祥點點頭，他對直升機的了解不多，不過這次主要是用500MD來搜索空軍失蹤的么四洞五號，任務單純，回到台灣以後他要多在艦載機上多下功夫，因爲新一代的軍艦都有反潛機的伴隨，身爲海軍不能不對立體作戰有所了解。

艦上官兵對直升機都很好奇，上尉倒也熱心的爲周圍的人做500MD的性能說明，林永祥突然有一個念頭，他對賴正中說：

『陽字號上有甲板，可以降落，那麼中字號上呢？』

小上尉必恭必敬的說：

『報告艦長，只要天氣好，應該也不成問題，因爲中字號上雖然沒有直升機甲板，可是很寬敞，絕對能夠起降500MD。』

補給長老盧笑著說：

『艦長，這恐怕是老陽字號裝備最齊全的一次了，你看，有七六砲、四〇砲、電戰雷達、雄風、海榭樹，還有直升機。』

『負載上沒問題吧。』

『沒問題。』老盧說，『比這個還多的我們也不是沒載過，老陽字號是頭駱駝，只不過船可別想跑快了。』

林永祥從來不指望南陽艦能跑多快，船跑得多快也沒用，比不上飛機的。總部給他的消息是，另外還有一架改裝成砲艇的C-130H正在待命狀態中，有必要時可以支援海軍。南沙實在太遠了，林永祥不敢指望空軍的支援，而且依他的判斷，在南沙即使有衝突，也必然是突發的遭遇戰，是船對船的砲火戰，不會出現空中火力的。

駕駛台來電話找著林永祥，才出海，會有什麼狀況不成。是新來的南沙和西沙狀況分析，越南艦隊逼近了太平島，意圖不明，其中有艘船還進入太平島的十海浬內下錨，太平島上的守軍正向總部請示處置方式，總部的回答是暫觀其變，待命發出警告射擊。

在無線電靜止狀態中，運補支隊雖然不能發出電訊，但仍可以收得到，他從總部和太平島守軍之間往來的密碼可以讀出其中的緊急，國際規定的領海是十二海浬，越南艦隊竟然大搖大擺的在太平島十海浬處下泊，這等於是藐視台灣對太平島的領土權，中越共剛發生海戰，越南艦隊不去西沙，卻到太平島來挑釁，這有點沒道理，除非越南是想登陸太平島，以太平島爲根據地的和老共交戰。

這則消息使林永祥很迷惑，如果越南海軍眞是針對太平島而去，那麼他的任務會不會有改變呢？他原來所接受的命令只有兩項：運補太平島和打撈么四洞五號機，越南海軍即使不攻擊太平島，只要停在島外不走，對他的運補行動就會造成很大的影響。老盧打趣的說：

『原來我們不是運補支隊，是戰鬥艦隊，艦長，要不要全體就備戰部署。』

太平島是整個南海唯一有淡水的島，在這裡佈陣和老共交戰倒不失爲一個主意，可是越南很清楚在這個島上有台灣的駐軍，莫非存心是來開戰的？他奉命出海後不能和總部聯絡，林永祥只有等，他下令船的方位不變，速度則略微加快，中興艦的燈號打來，可以到十節，林永祥下令，航速十節。

不管該不該接敵作戰，他應該至少儘快的趕到太平島周邊海域，比較能應付各種突發的狀況，金虎大概和他有同感，才會主動打燈號表示可以加速航行。中興艦冒起更濃的黑煙，林永祥通知航空兵的賴正中準備隨時起飛，賴正中很興奮的行禮飛奔回甲板。林永祥的打算是，如果太平島的局勢不明，總部也尚未有明確的命令下達之前，他也許該利用好天氣先在鄭和群礁附近用直升機找一找么四洞五號機，或者是以直升機先去太平島周圍觀察動態，短短的幾分鐘之內，他就發現了有艦載機的好處。

南海的天氣很不穩定，風浪大的時候可以到七八級，別說是直升機執行偵察任務，只怕船艦本身都難航行，氣象是此行成功與否的一大因素。

氣象資料送來，林永祥把副長、輔導長、作戰長、兵器長和艦務長全找來開會，氣象圖顯示未來幾天的天氣不是很樂觀，特別是一個颱風正從南太平洋往北來，可能會在菲律賓登陸，也有掃向南海的可能，就在這個時候，更不好的消息傳來，是總部用密碼發出的，美國的太平洋艦隊從日本南下，航速二十節，估計在今天傍晚會通過台灣海峽，這使台海局勢出現不尋常的緊張態勢，包括成功級和諾克斯級在內的整個么兩四艦隊都留在港內待命，林永祥現在連到東沙的水面護航兵力都沒有了，按天氣的惡化來看，空軍的C-130H更不可能出動，他這個運補支隊眞成了南海孤兒，僅有的友軍是誰也不知道它在哪裡的海龍號潛艦。

美國的艦隊是以獨立號航艦爲中心，當林永祥剛從官校畢業分發到部隊時，也曾隨艦到南沙，在菲律賓附近海域遇到美國航艦，陽字號和它比較起就像是玩具，現在美國艦隊南下，對於運補支隊而言，究竟是敵是友呢？

從收音機收到的消息，中共外交部在新聞記者會上大肆攻擊美國艦隊的經過台灣海峽是一種極不友好的行爲，要求美軍立刻改變航道，並且叫囂，若是美軍航線不改，則發生任何的意外，美國都要自行負責。美國方面並沒有退讓的跡象，只表示這是一趟敦睦行動，走台灣海峽是因爲比較近，菲律賓方面又有颱風，所以選擇這條航道沒有其他的意義，要求中共不要擴大聯想。

更新的消息再傳來，中共的整個南海艦隊都動了起來，全往西沙附近海面集結，總部的通訊中還有一則令林永祥煩惱的，日本衛星發現有五架蘇愷二十七戰機部署在中共的永興島跑道上。永興是中共近年在西沙建立的海軍航空兵前進基地，該地距離南沙只有五百海浬，依蘇愷二十七戰機的續航力，可以威脅到南沙，而南陽艦上沒有足夠的防空武器，遇到來自空中的挑戰，只有挨炸的份。當然艦尾也有海樹樹飛彈，但那是一種近距離的低空防空飛彈，要打兩倍音速以上的蘇愷，簡直是開玩笑，但中共把蘇愷調來，應該不是針對運補支隊和太平島，是越南艦隊吧，或者也對美國艦隊做相當程度的警告。

中興艦打燈號過來，劉金虎一定也收到了電報，他說正在把船艙裡的西北風飛彈搬上甲板，由飛彈連的人員開始安裝。哈，金虎想用西北風來打蘇愷嗎？

局勢如此的複雜，變化更快，總部對『鵬展』行動仍無進一步的指示，林永祥可以想見總部幕僚人員的困窘，既然越南艦隊直接威脅太平島，運補支隊當然是愈快抵達太平島愈好，不僅可以提供海上的火力，也可以獲得武器彈藥的補給，但運補支隊愈往前行，介入戰爭的可能性也就愈高，參謀本部絕沒有作戰念頭的。也許總部還在思考和猶豫，運補支隊只好繼續不停的往南走，林永祥有預感，就在他快到目的地的時候，總部要他撤退的命令會下達，他是軍人，他的階級只能服從命令，在命令未下達之前，他唯有堅決的往南。

作戰長吳本立是林永祥低兩屆的學弟，在學校時就很優秀，曾經到日本去念了兩年書，是海軍之中少有的留日碩士，前途不可限量，爲人更非常冷靜。他和艦務長看著地圖研究好久才向林永祥提出建議：

『報告艦長，依我們的判斷，越南海軍暫時不會對太平島有什麼行動，他們可能只是想把中共艦隊誘入那個海域再開戰，這會拉長中共海軍的運補線，太平島離越南比較近，對他們自然有利，中共的戰機也飛不到這裡，是守株待兎的辦法。』

吳本立指著海圖說：

『中共艦隊到現在並沒有南移的跡象，這和美國艦隊的進入台灣海峽有關，他們也得在有空優的範圍內觀察美軍的動向，因此短期內南沙發生海戰的機會不是很大，我們認爲比較值得擔心的反而是來意不明的美國艦隊，從收音機聽到的新聞，美軍艦隊是應東南亞國協之請來維持南沙和平的，所以任何一個國家的海軍艦艇在這個海域內出現都會妨礙美艦的任務，也都是美艦的假想敵，我們也是其中之一。』

林永祥點頭，他問：

『你和艦務長的建議呢？』

『設法避開美國艦隊，不要有接觸會是上上之策。』

林永祥對吳本立的建議完全同意。

『好，馬上和劉金虎聯絡，問他們能否再加速，我們得趕在美軍抵達南海之前先完成運補太平島的任務。』

中興艦的回答是盡力，它究竟能達到多大的航速，劉金虎也沒把握。晴空萬里，要是一路上都是這種天氣就好了，才剛離開台灣就遇到一大堆的狀況，林永祥很沈著的回到艦長室，這是他從軍以來最大的一次挑戰，他眞希望總部現在就下令叫他回航，他從來不認爲自己是個勇敢的人，只是訓練使他有面對命令的認命罷了。

『鵬展』計畫被卡住而動彈不得了，底下有參謀甚至建議向美軍發出援助的通知，由美國艦隊代爲在南沙搜尋么四洞五號機，李少將罵道：『這簡直是開玩笑。』

兩架E-2T預警機和鵬展二號的C-130H都集中在屏東基地待命，可是天氣報告送來，一個颱風已在南太平洋形成，這對空軍在支援『鵬展』行動上更爲不利，他和海軍做了聯絡，運補支隊已經出發，目前航向和航速都正常，海軍總部也爲該不該繼續這趟任務傷腦筋，只有等參謀本部做最後的評估再說了。

總司令又召開會議，劉興國也被叫去開會，會議室內衆星雲集，劉興國坐在後面，會議討論的是剛得到的訊息，中共又將一個中隊的蘇愷二十七戰機從華中地區調到廣東，衛星照片上顯示廣東一個中共空軍機場上停了一排的蘇愷。

蘇愷的作戰半徑大，可達八百海浬，幾乎是F-5E的兩倍，調到廣東的用意顯然不是針對台灣，作戰司令評估，中共現在也只有二十四架的蘇愷，並不能構成其空軍的主要打擊兵力，與其說是來作戰，不如說是對美國的抗議。

總司令突然對後面的劉興國喊起來：

『劉參謀，你對鵬展的繼續實施有什麼看法？』

劉興國沒想到總司令會要他發言，他先看看李少將，李少將對他微笑的鼓勵，劉興國只有站起身。

『報告總司令，有武裝的飛機在國際上都會被視為有敵意的，C-130H在經過鵬展後，已經是武裝攻擊機，它的機密恐怕在出動後沒多久就會曝光，以前提出這個計畫先決考量是不會有任何國家的空軍會在南沙海域內執勤，現在美國艦隊有上百架的艦載機，中共又把蘇愷南調，鵬展在執行任務時會更加困難，也很難達到當初設定的突擊式效果。』

『可是鵬展行動已經展開，海軍的運補支隊都已經出發，我們要怎麼對海軍交代，原來我們是對海軍提出鵬展的空中支援計畫的。』總司令說。

現場沈寂了一陣子，是作戰司令起來發言：

『只有期待飛鷹了。』

作戰司令分析道，一旦鵬展對地支援機會有遭到攻擊的威脅，意味南沙已經開戰，到時候主要交戰國會是越南、中共和菲律賓，美國或許也會被捲進去，那麼爲了保衛太平島，飛鷹的出現會使至少中共、越南對太平島投鼠忌器。

『飛鷹到得了南沙嗎？』總司令問。

『仍然需要空中加油。』作戰司令回答。

『我們的加油機呢？』總司令問。

是李少將站起來回答：

『我們已完成一架波音七二七初步的改裝，可是太過於敏感，我想最大的問題是我們要不要爲了南海把所有的機密都曝光。』

這是劉興國第一次聽到飛鷹和加油機的事，原來飛鷹指的是向美國和法國買的新戰機，而李少將居然也進行空中加油機的計畫，空軍爲了南沙眞是花了很大的工夫。

空中加油一直是空軍的最高機密，等級比海軍第二代潛艦的採購還高，和陸軍的天馬計畫同級，畢竟一旦台灣的戰鬥機有了空中加油的設備，就具有打擊中共本土的能力，加上陸軍的天馬地對地飛彈，台灣等於是有了戰略性的基本武器，這是國際間最怕見到的事，向法國買的幻象戰機續航力本來就大，有了空中加油機，劉興國在心裡估算，應該有直接攻擊北京的能力了吧。

『我們做不了主，』總司令遲疑了片刻說，『學海軍吧，一切等參謀本部的命令吧。』

開完會出來，李少將把劉興國叫到他房間，特別叮嚀要對會中所提到的事情保密。

『不是我不相信你，而是那些計畫都太敏感了。』

李少將還把『飛鷹』的內容大致上向劉興國做了說明，原來是林志霄，這個空軍又愛又恨的小子要回來了。

第四章 COBRA，DOUBLE COBRA

林志霄和楊易帆連日來幾乎每天都有三趟的飛行，奇怪的是林志霄突然老實起來，他不但未如預期的嘗試『眼鏡蛇』的動作，甚至連空中關機和低空拉升的動作也不做了，這使得法國方面很擔心，因爲英國汎保羅航空展對法國達梭公司促銷幻象2000-5戰機是很重要的場合，達梭副總裁還特別跑到基地來探尋台灣空軍試飛的狀況，馬大個對法國人說：

『不用煩惱，林愈是放慢他的動作，表示他愈有信心。』

其實林志霄對『眼鏡蛇』倒是一點也不在乎，他計算過，幻象2000-5的發動機推力是約一萬公斤，空重爲七千五百公斤，他的體重是七十二公斤，當飛機飛抵汎保羅會場時，他計畫把油料消耗到只剩下五百公斤以下，那麼當他做飛行表演時，戰機的推力重量比可以達到一點二四左右，這個比率足夠他拉起機頭做出個漂亮的『眼鏡蛇』了。

林志霄比較擔心的是空中加油，法國人提供了他兩次訓練機會，他已經能掌握住和加油機同步飛行的訣竅，可是畢竟是在空中，不能有分毫的錯誤。幻象的加油口在機艙左前方，和F-16在機背上不同，後者的加油由加油機來主導，幻象的空中加油就全看飛行員的功夫了，尤其是加油口太接近飛行員，一點點的失誤可能會傷及飛行員，所以他要求再做一次空中演練，他對楊易帆的要求也很嚴格，兩人經常在空中演起低速同步飛行的特技。

眞正讓林志霄煩惱的還不是空中加油，而是多少年沒犯過的氣喘，就在前兩天復發了。根據他母親的說法，在出生後不久，林志霄因爲百日咳而染上氣喘，那時候他父親剛出事，母親的心情很壞，也沒注意到病情的轉變，等到發現林志霄不對時，已經來不及了，爲此他的母親很內疚，每當林志霄發病，就抱著兒子坐三輪車到處找醫院，而林志霄那時幾乎都是在深更半夜發作的，中心診所的醫生就說他是急診科的病人。

到了初中，林志霄的個性就是不信邪，醫生要他少運動，多休息，他卻整天泡在運動場上，他要和氣喘拚個高下，沒想到病情反倒好轉，所以當他報考官校，他不說誰也不知道他有氣喘，只有在步校受訓時因爲整理軍毯時灰塵滿天，引發了舊病，他立刻服用醫生開給他的藥，把病情壓下去，醫生告訴過他，那種藥就是類固醇，是氣喘病患的仙丹，有一個明顯的後遺症，MOONFACE，像月亮般的圓臉，至於是否有其他的後遺症，醫學界還沒有定論，所以能不用最好是不用，林志霄對自己的身體相當了解，他絕不讓自己太累，累是引發氣喘最主要原因。爲了飛行，他更把煙酒也都戒了，這使他在空軍成了罕見的怪物，軍人很少和煙酒分家，連聚餐時大家興高采烈，長官要他喝一杯，他也絕不妥協，有些人因此說他不近人情，他也不在乎，這是他的底限，只要空軍發現他有氣喘，他只有停飛的份，也等於結束他的人生，他非小心不可。

年輕時他不覺得，總認爲氣喘早就斷根了，但實際上氣喘只是潛伏在身體的深處，隨時等機會出來，兩年前林志霄在台東七三七聯隊擔任假想敵中隊的中隊長，白天上課、飛行，晚上還得看書，使他在一個夜裡再次發作，他是硬撐著，裝著笑臉開車離開基地到市區找醫生，打了一晚上的點滴，從此在煙酒之外，他又給自己列下另一條規定，不得熬夜。

氣喘這種病很邪門，即使前一晚發作，只要一壓下去，第二天做空勤體檢，誰也檢查不出來，這使他順利的在空軍一幹就這麼多年。

到了法國原以爲大陸型氣候會使他不必再爲氣喘煩惱，誰曉得林志霄好強，他能在天空上就絕不下來，晚上還開夜車的念法文，雖然他的法文已經到了和法國人打屁的地步，身體卻也賠了進去，好幾次有險些發作的危機，都是靠從台灣帶去的噴霧式藥劑克服的。前兩天在蘇菲家又差點發作，這讓林志霄提心吊膽，他要直飛回台灣，估計要七、八個小時，飛戰鬥機隨時都要集中精神，他能挺得下去嗎？任務又是那麼的重要，萬一在空中發病，搞不好會壞了大事，他是不是該對馬大個坦白，換人執行這項任務呢？

做完最後一次空中加油的演練，林志霄有在法國的最後一夜假期，他照例到OPERA旁的拉法葉百貨公司去接蘇菲下班，蘇菲是拉法葉百貨的女裝採購經理，以前她在另一家著名的女裝工作，曾到台灣成立分公司，林志霄就是在那時候和她認識的。蘇菲不高，卻有少見的氣質，很高傲的模樣，頭髮剪得比男生也長不了多少，給人的印象是精明強悍，和達梭駐台代表的夫人是舊識，就是在達梭莫里耶先生的家裡初次見到蘇菲，兩人聊得很愉快，後來還一起吃過飯，但也就如此而已，直到林志霄奉命到法國受訓練，有一次休假他陪幾個同事到拉法葉去逛，沒想到遇到蘇菲，兩人才正式開始交往。

蘇菲結過一次婚，她的前夫是個美國人，只維持了半年，蘇菲說她受不了她前夫婚後仍不斷的羅曼史，而且她確信她是個不適合結婚的女人，她沒辦法把全部精神放在她先生的身上，工作對她而言是不下於婚姻的。或許這也是蘇菲令林志霄著迷的地方吧，因爲工作對林志霄也是最重要的，他之所以遲遲不結婚，就是沒有一個女人能接受他工作起來會連電話也不打的冷漠態度。

蘇菲很可愛，她從不過問林志霄的工作，林志霄也只有在發生有趣事情或工作太累想發牢騷時才會說。蘇菲最大的樂趣是在廚房裡，她自認是法國南部里昂菜的高手，林志霄則從小跟著母親學江浙菜，獅子頭和蹄膀都已經做到了入口即化的地步，他和蘇菲在台北吃飯的那次談的就是做菜，蘇菲還興奮的要找一天和林志霄比個高下，可惜林志霄很少有機會到台北，沒多久蘇菲也要回法國，行前蘇菲曾打電話給林志霄，說隔幾個月還要來，到時候再一較高下，怎曉得回到法國蘇菲就換工作，所以林志霄和蘇菲在法國的第一次約會是在蘇菲家裡，兩個人圍著圍裙大戰，一人做一道菜，結果蘇菲自嘆弗如，從此只要林志霄休假，他就負責做飯，兩人幾乎從不上館子。

蘇菲工作起來是完全的投入，林志霄如果到的時候她還在上班，就會自己去逛百貨公司，這使整個百貨公司都知道他是蘇菲的男朋友，後來蘇菲不准他逛，她說：

『我的同事都說我讓我男人無聊的亂逛，以後你如果早來就在我辦公室裡坐，不准到處走。』

到了拉法葉，蘇菲不在辦公室，他照例就坐下等，不多久蘇菲就進來，她劈頭第一句話是：

『喂，林，有一句話我從沒有問過你，你愛不愛我？』

蘇菲的態度是認真的，她插著兩手，斜倚在門旁等著林志霄的回答。

林志霄有些不知怎麼辦，他當然愛蘇菲，可是蘇菲怎麼會在這種場合問起這個問題呢？

『蘇菲，你知道，我愛你。』

林志霄才說完，蘇菲突然衝上前的抱住林志霄，這是林志霄第一次看到蘇菲哭，蘇菲說：

『你是不是要回去了？』

林志霄並沒有把『飛鷹』計畫告訴蘇菲，她是怎麼知道的呢？

『你上次在我家做夢時說的，你說你要飛回去。』

蘇菲抬起頭，兩眼內充滿淚水：

『這一個星期我每天都在想你不在了我怎麼辦，我不知道我居然還會愛上男人。』

林志霄緊緊抱住蘇菲，他對蘇菲說：

『跟我去台灣，要不然我退伍以後來法國當傭兵。』

那晚破例的是由蘇菲做飯，然後他們瘋狂的做愛，蘇菲做起愛時，她的感情是沒有一點遮掩的。他對蘇菲說，他的任務很危險，不過他會叫人把他的消息告訴蘇菲的，馬大個知道蘇菲的存在。

睡到半夜，氣喘竟然又發作，這是到法國以來最嚴重的一次，林志霄第一次感到怕，他連吃兩顆Phyllocontin，半個小時後才勉強恢復正常，蘇菲瞪著大眼看著他，她說：

『林，你流了好多汗，你眞的能飛回台灣嗎？』

林志霄笑笑：

『放心，我會的，我還會回來法國做傭兵。』

蘇菲的感情有時像東方女人般的收斂，上次他發作，蘇菲也是謹慎的坐在他旁邊，靜靜的看著他，直到他噴了藥，呼吸緩過來，蘇菲才突然大哭的抱緊他。林志霄告訴她，他對自己的病很了解，也很會控制，不用擔心，可是蘇菲哭了很久。

擁著蘇菲，林志霄心裡很擔心，一次比一次來得兇，莫非這些日子他眞的太累了，回到台灣以後他要好好休個假，忘記飛行，他要把身體重新調整過來。他對蘇菲說：

『我很快就會回來。』

林志霄早就知道自己愛上了這個法國的小女人，他有時也會爲未來做些設想，他把蘇菲接到台灣是最可行的方法，可是蘇菲熱愛她的工作，林志霄始終以爲不能以愛情爲要脅的要對方放棄事業，他自己就辦不到，又何必強加於他人身上？那麼他到法國來，這卻要等他退伍，而林志霄確知自己是離不開飛行的，固然退下來可以飛民航，但那無法和飛戰鬥機相比。馬大個是隊上唯一知道他有法國女友的人，馬大個就勸林志霄：

『你在法國是過客，老弟，你交個女朋友我沒意見，可是別把自己陷進去，你不是孩子了。』

他和蘇菲討論過一次，僅此一次，蘇菲依偎在他懷裡說：

『林，不想這些頭痛的事好不好，我覺得現在快樂最重要。』

也許是那次使蘇菲感覺到林志霄回台灣的日子近了，快樂似乎總得要結束，蘇菲緊緊抓著他的手臂，然後猛的放鬆，轉過身子就躺下去，她說：

『你走的時候不要叫我，等你安全回到台灣再打電話給我。』

蘇菲小聲的說：

『我愛你，林，我眞的愛你。』

望著蘇菲抖動著的肩膀，林志霄變得很頹喪，他告訴自己不能這樣，他需要睡眠，因爲他有『飛鷹』等著他，他迫切需要足夠的休息。

早上天剛亮，林志霄小心的從床上把身子移下來，他一晚上沒睡好，如今他要趕回部隊報到，在火車上他應該可以好好睡睡，他不能再想以後的事了，對他而言最重要的是現在，一次他夢寐以求的飛行。

直到他穿好衣服，他才發覺原來蘇菲也一晚上沒睡，蘇菲沒有回身，她只是小聲的說：

『林，你要小心，教你的朋友一定要打電話告訴我你的情形，我會等的。』

林志霄有上去擁抱她的衝動，但他沒有，他只平靜的說：

『會的，蘇菲，我會的，我愛你，我永遠都愛你。』

說完林志霄推開門走出去，巴黎的清晨很冷，是他媽的冷。

這是林志霄第一次駕駛掛了副油箱和空戰模擬儀指示器的幻象升空，他感覺回到台東假想敵中隊的心情，當他快接近跑道的起飛點時，他立刻用力拉起機頭向左旋轉，他聽到塔台又罵起義大利文，他可以想像飛機左翼在快速轉彎時貼近跑道的畫面，雖然有些危險，但飛戰鬥機本來就要帶點危險。

直衝到雲層下方，他才緩下速度等候楊易帆的飛機，楊易帆是一板一眼的人，操作時必定按照手冊上的規定，這或許是馬大個選上他們兩人一組的原因吧。

楊易帆飛到林志霄右側的下方，兩架幻象完成編隊，林志霄聽到馬大個的聲音，馬大個用的是中文：

『小子，show them cobra，全台灣人都在等你們，我會記得打電話的。』

儘管昨晚睡得不是很好，此刻林志霄是充滿鬥志的，他點燃後燃器，戰機像是給人踢了屁股似的往前衝出去。

昨晚馬大個和他談了很久，他才知道『鵬展』計畫和南海的緊張局勢，他在飛回台灣的最後一段旅程要通過南海，他可能會遇到老共的強五和蘇愷，也可能遇到越南的米格二十一，甚至可能遇到美國航艦上的F-14和F-18，況且老共說不定已經知道他們的計畫，那麼一路上他還會遇到各種意料之外的攔截。

馬大個說：

『總部說，如果老共收到了他們間諜的消息，卻一直沒有動作，那麼顯示他們可能另有主意，不排除在你們飛回台灣的途中進行攔截。總部分析說，在途中把你們打下去是白賺，我們是啞巴吃黃連，聲張不得。』

林志霄可不怕這些，儘管幻象是無武裝的飛機，林志霄一向相信飛行的技術是最好的武器，他期待在空中遇到不明的敵人，但此刻他最重要的工作是先去英國，把幻象的潛在性能發揮出來。

飛機越過海岸線，相處了八個月的法國，再見了。

他也對馬大個提到蘇菲的事，馬大個說他會把狀況告訴蘇菲，馬大個還是很不以爲然：

『你娘的眞談起戀愛，我不是告訴你別找法國妞嗎？給自己找麻煩。』

林志霄在出發前一度想打電話向蘇菲告別，可是他能說什麼呢，說，我回去了，再見？那不是無聊嗎？與其讓蘇菲更難過，不如等他順利飛回台灣再告訴她吧。

英國的地面管制站正等著幻象的來到，林志霄卻突發奇想的在通話器裡向楊易帆說：

『Billy, follow me.』

他一個翻滾，把幻象從高空帶到海平面上，高度顯示器上的數子很快就跌到一百上下，楊易帆也跟著下去，他在通話器中好奇的問著林志霄爲什麼要在低空飛行，林志霄說：

『我們給老英一個驚喜。』

英國人還沒有得到這個驚喜，法國的馬大個先開罵了，因爲兩架幻象突然間消失於雷達幕上，法國人很急，馬大個很清楚林志霄又在玩遊戲了，他用四川話罵了起碼有兩分鐘，然後他才對法國人說，沒關係，到了英國海岸他們會回到雷達幕上來的。

林志霄是領著楊易帆貼著海平面飛行，陽光照射著他們，同時也照射著海面，當陽光反射時，會出現紊亂的電波干擾地面雷達站的收訊，也就是說，他們會消失於雷達幕，在做入侵攻擊時，戰機都會以低空飛行避開敵人地面雷達的偵察進入敵人的領土，而此時兩架幻象幾乎和海上的漁船在同一高度，林志霄可以看到船上的人向他揮手。

他的體能狀況很好，從來沒有這麼好過，兩天來他非常當心自己的身體，還找台灣來的伙伕長爲他弄了魚翅，自己在房間裡燉了半天進補，楊易帆覺得很奇怪，因爲林志霄對於吃是最不在意的，他常對楊易帆說：

『要吃好東西的時候一定要有所堅持，我絕不吃火候不夠的魚翅，可是平常，只要是食物，能嚥得下去就行了。』

楊易帆沒問林志霄爲什麼補起身子來，反正燉好了他一定有份，他最喜歡林志霄的手藝，剛到法國時林志霄常自己下廚，楊易帆還說，如果這樣子吃下去，回到台灣的第一件事就是把妻子送去烹飪班，否則他回家會食不下嚥。

林志霄很喜歡這個學弟，也許是馬大個說的，他不可能把楊易帆帶壞，這使他和楊易帆在一起時不用隱藏自己吧。

法國指定的航線是從諾曼第海岸出海，在接近英國瑟堡時開始向英國地面管制站做第一次通報，接受英國的管制，直到汎保羅為止，抵達汎保羅的時間為么兩么五，緊接俄羅斯的蘇愷三十五之後做飛行表演，所以如果他早到一點，他會在空中看到蘇愷。林志霄的企圖是早到個幾分鐘，他從沒有在空中看過蘇愷的經驗，他迫切的想試一下，雖然他並不能接近表演區，但遠遠的在空中感覺蘇愷也會令他滿足的。

飛機接近海岸了，他聽到英國管制站和法國方面的通話，兩邊都在詢問那兩架幻象的下落，林志霄搖一下機翼向楊易帆示意，然後猛的拉起機頭快速衝至一萬公尺的高空，他聽到法國人和英國人各用各的語言在咒罵，兩架幻象神不知鬼不覺的又回到他們的雷達幕上，而在咒罵中，幻象已飛進了英國，林志霄看到地面上是一片綠油油的草地，他也向英國的管制站報到。

汎保羅航空展和巴黎航空展是世界上最著名的兩個航空展，都是兩年舉行一次，單數年是巴黎，雙數年是汎保羅。航空展上的重頭戲就是每天中午開始的空中飛行表演，參加次數最多的是美國的F-16、英國的海獵鷹、法國的幻象與飆風、俄羅斯的蘇愷和米格等戰機，而蘇愷更是最吸引人的。法國認爲幻象2000-5已經發展成熟，想和蘇愷較量一下，英國今年才把幻象的表演安排在蘇愷之後，又爲了配合『飛鷹』計畫，法國先飛去了兩架幻象做地面展示，飛行表演則要求當天直接從法國飛去，英國方面也同意，不過英國曾好奇的詢問法國，幻象是不是有什麼噱頭，法國人沒有回答，林志霄在空中做了幾個翻滾暖身，並且做了一個小幅度的旋轉，英國的地面管制站喊著：

『Mirage, Mirage, behave yourself, its not the show time yet.』

終於到了展示場附近，遠處一架漆著藍灰二色的飛機正做緊急爬升的動作，是蘇愷，那是一架蘇愷三十五，蘇愷攀升到高空後，一個倒翻的從下竄，而後減低速度，是COBRA，俄羅斯的老小子又演出眼鏡蛇，他把機首拉起再重重放下，林志霄清晰的看著蘇愷的每一個動作，他的血往上衝，幻象輕巧的在表演區外做了大幅的旋轉，地面管制站叫著他，要他準備進場，就在蘇愷滑向跑道時，林志霄向楊易帆豎起大拇指，便衝進了表演區，兩架幻象發出轟的後燃器響聲，從仍在跑道上滑行的蘇愷頭上飆過，一起拉起機頭衝向高空，然後倒轉的下降，在高度降至一千公尺時，兩架飛機炸彈開花的一左一右飛開，他們把白色帶狀的噴射尾凝結在空中。

『學長，看你的了。』

楊易帆通完話便把飛機帶開，整個天空只剩下林志霄，他檢查一下儀表，全部正常，於是他一個衝場的進入表演區，在空中很快的減速，他盯著速度表，六百，五百，是了，他把力氣全集中在手腕上，機頭被他拉起，他感覺身體裡所有的血都往下沈，他再把機頭重重放下，血液又剎那間衝進他的腦部，輕微的昏眩差點使他忘記控制飛機的水平，哈哈，COBRA，他做到了，他再竄進高空，一個翻滾的關機讓飛機靜飄飄的往下翻，他的臉像給人用力撕扯般，他再開機，又是一次點燃，他在後燃器的推助下，又再次爬高，他重新進場，當機輪觸及跑道的剎那，他把飛機帶起，他看到地面上全是人，他再拉起機頭又重重放下，血液在他體內震盪，他把機頭壓下，再用力拉起，管制台的英國腔英文嘶喊著：

『Its cobra again, double cobra.』

林志霄放低速度，緩緩的在跑道正上空飛行，全是人，到處都是人仰首看著他，管制台喊著：

『Beautiful, Mirage, you have grounded Sukhoi.』

楊易帆的聲音也傳來：

『學長，我從來沒有這麼感動過，這是我見過最美麗的眼鏡蛇。』

兩架幻象從兩個方向再次進入表演區上空，楊易帆出人意料的一個翻轉倒飛的掠過林志霄的駕駛艙上方，兩架飛機一正一反的交叉而過，林志霄忍不住的笑起來，這是楊易帆當初在特技小組的的基本動作之一，沒想到他會用到英國來。

他們平穩的降向跑道，整個參觀台上的人群都向他們揮著手，林志霄想到的是蘇菲，蘇菲會不會在電視上看到他？蘇菲知道是他在飛機裡面嗎？此刻他眞想飛回法國，不，他要飛回台灣，把這架漆著法國迷彩的戰機飛回台灣去。

飛機在跑道上緩慢的滑行，他和楊易帆都沒有打開座艙罩接受觀衆的歡呼聲，他們不能露出不是法國人的臉。

英國的人員把他們迎進離跑道較遠的維修廠裡，關上門後地勤人員把座艙罩打開，每個人都朝林志霄和楊易帆伸出大拇指，林志霄也笑著用法文說謝謝。

飛機將在這裡由達梭派來的工程師做檢修，畢竟接著要做長程飛行，檢查也就要特別仔細，同時也爲飛機加油，原來的副油箱在進入英國不久即已拋棄，兩個新的副油箱掛到機翼下，不，居然是三個，幻象用的副油箱每具的容量是一千八百公斤，平常是使用機翼下的兩個掛點做長程攔截之用，當必須掛反艦飛彈時，則會使用機腹下的掛點掛一具副油箱，現在掛了三具，換句話說，僅是外掛的油量就有五千四百公斤，飛機本身也有三千一百公斤的油量，加起來，這兩架幻象居然有八千五百公斤的油量，按照手冊，幻象2000-5最大的航程是三千三百公里，現在來看，應該可以到三千七百公里以上，而從英國的多佛飛至法國的加萊是英吉利海峽最短的航程，由此往新加坡的直線距離是一萬三千公里，也就是三個副油箱的裝備下，幻象必須經過三次空中加油才可抵達新加坡，飛行當然不可能有直線的航路，法國方面已把航路輸進了兩架戰機的電腦中，趁著加油和檢修，林志霄和楊易帆就在廠房的角落裡商議回台灣的航線。

第一段的航程最複雜，也就是穿越歐洲，法國的安排是飛鷹從汎保羅起飛後，往西南西飛，這是向英國人說明幻象在回程時加裝三具副油箱的理由，幻象要藉機做長程的試飛，英國人不會起疑。到了愛爾蘭南方約五百公里，再轉向東南朝法國南部飛，這時飛鷹要同時向英國和法國的地面管制站說是機件有故障，因而提前結束試飛。林志霄和楊易帆就從法國南部的比斯開灣進入法國領土，而後沿庇里牛斯山北麓向東飛進入地中海。

在地中海，各國的戰機常做飛行演練，出現兩架法國的戰機不會令其他國家感到意外，而且主要的是義大利，法國空軍已向義大利空軍提出申請，要做飛行訓練，義大利方面不會阻攔，在西西里島附近的上空，也就是飛行了三千六百公里之後，飛鷹接受第一次的空中加油，加油機從北非的阿爾及利亞起飛來會合。

整個第一段航程約三千六百公里，其間因爲西歐諸國一向交好，不會有國家過問法國戰機的飛行演練，飛鷹可以用巡航的每小時二千三百公里速度飛行，因此第一段所需的飛行時間約一個小時又三十五分鐘，空中加油則預計爲十五分鐘，完成後即進行第二段的航程，也就是由西西里島飛往沙烏地阿拉伯利雅德西方的沙漠。

法國目前仍派有戰機在沙烏地阿拉伯加入多國部隊對伊拉克進行空中監視，飛鷹是以法國戰機的名義進入這個空域，當然也不會有問題，如果油量能維持到利雅德附近的多國部隊機場，即可降落在機場，否則法國的加油機會到利雅德西方八百公里的上空等候飛鷹。

計畫的作戰時間是從英國格林威治時間下午三點四十五分展開，五點二十分進行第一次的空中加油，六點五十九分做第二次空中加油，當地時間是九點五十九分，尚未完全天黑對加油行動不會有妨礙，但法國方面希望飛鷹能飛到利雅德基地，這樣飛行員也可有機會休息，並對飛機做一些檢查。

第三段航程最麻煩，因爲要通過印度洋，而無論印度或巴基斯坦和中共都有很好的軍事關係，因此判斷中共若已得知此計畫，要做空中的攔截行動，最可能出現在這段的航程之中。飛鷹離開沙烏地阿拉伯後，直接進入印度洋，方向爲東南，盡量離印度半島遠些，以赤道和東經八十度爲轉折點，轉而向東北方朝新加坡航去。

法國的計畫是飛鷹先飛到馬爾地夫群島附近，接受法國從索馬利亞飛去的加油機的加油，然後折而往東，經過斯里蘭卡南方，直飛新加坡。法國所負責的是到馬爾地夫爲止，以後就由台灣自行負責，馬大個說，空軍已和新加坡談好這次的行動，由馬爾地夫飛新加坡的直線飛行要經過印尼的蘇門答臘，飛鷹得繞一下，從麻六甲海峽進入新加坡，使這段航程的油料非常吃緊，新加坡方面已同意出動一架由C-130H改裝的加油機在麻六甲海峽等候飛鷹，確保飛鷹能順利飛抵新加坡。

如果一切順利，飛鷹可在格林威治時間下午十時二十八分抵達新加坡，這四段的飛行時間約為七個小時，也就是在台北時間第二天的上午的五點二十八分到達新加坡，經過加油和整備，約一個小時後經南中國海直飛屏東基地。最後一段的航程是三千一百公里左右，但南海的局勢多變，最短反而會是最詭譎多變的一段，估計飛鷹可在七點四十八分回到台灣。

在這個精密的長程飛行計畫裡，共分成四次加油，可以說是戰鬥機空中加油的空前紀錄，也是戰鬥機迄今為止最遠的任務飛行紀錄，林志霄和楊易帆兩人要創兩項紀錄，讓他們在廠房裡心情愈來愈沈重。

在出發前一晚馬大個才把全部行程大致上的告訴林志霄，並沒有告訴楊易帆，因為馬大個擔心楊易帆會膽怯，其實馬大個是多慮了，此刻楊易帆的表情一如以往的非常平靜，他只輕鬆的說：

『報告學長，反正我釘著你的屁股飛。』

從沙烏地阿拉伯飛到馬爾地夫是全部行程最危險的一段，照理他們應該低飛，躲開印度和巴基斯坦的雷達偵察，而印度也有航空母艦，很可能會在這個海域內行動，但油料在這段行程也最緊張，如果真遇上敵機，林志霄和楊易帆所能有的武器只有機上的電子干擾器了，那玩意誰也沒用過，林志霄頗爲擔心，他對楊易帆說：

『我看是馬大個存心叫我們做那干擾器的測試。』

空中加油的十五分鐘也是計算得很精密，只要在空中一次沒對上嘴，就會超出預定的時間，『這是在考我們嘛。』從不發牢騷的楊易帆也皺起眉頭。

『樂觀點，』林志霄說，『法國人也沒長程飛過這種戰機，說不定很省油，到時候我們來個戰鬥飛行，說不定把行程縮短個把小時，到台灣我保證每天打電話半夜叫馬大個起床尿尿。』

林志霄想起馬大個在他們臨出發前說的話：

『這是段很寂寞的飛行，你們沒有任何的友軍。』

是的，沒有友軍的航程，也沒有空中小姐問他們coffee or tea，連楊易帆最抱怨的飛機餐也不會有。

林志霄和楊易帆從昨晚起都沒有吃東西，他們擔心這路上鬧起肚子可不是好玩的，那會比老共來攔截更慘，兩個英國機工好心的拿三明治來，林志霄也只能苦笑的拒絕，他和楊易帆還等著登機前再上一次小號，以後他們就得把身體上所有的龍頭都給關了，到新加坡之前是不能想食物的。

加油和檢查都完成了，林志霄和楊易帆照例再從機首起做一番檢查，一個英國機工問他們後座放的是什麼，林志霄用法文回答他，是零配件，以防臨時需要，在英國是找不到幻象零件的。

幾個英國機工對這兩個長得東方人臉的法國飛行員非常崇拜，不時的朝他們豎大拇指，林志霄怕穿幫，想法子躲著他們，但還是躲不掉，一個老英問他是不是日本人，林志霄臨機一動的說是越南人，在越南淪陷後有許多越南人逃到法國得到政治庇護，法國也是東方人最多的歐洲國家。那個老英直歪著脖子點頭，似乎他是在這個時候才明白爲什麼美國會在越南吃了敗仗。

一切妥當，林志霄和楊易帆再對一次錶，然後悄悄的把飛機滑出廠房，在預備跑道上發動後燃器準備起飛。

飛行表演仍在進行，有兩架德國的民用客機正並排飛行，等到它們都降落了，塔台才通知幻象起飛，這次林志霄老實的按規定拉起機頭，他可以看到航空展整個場地，排滿了各式的飛機，聽說航發中心原來有意把經國號和自強號弄來，可是英國不同意，但英國怎麼知道，台灣的幻象戰機卻來了。

英國腔英文又從耳機傳來，管制人員說：

『Hope to see you again soon. Nice show, Mirage. Bon voyage.』

林志霄也回答了，Bon voyage。

兩架幻象就在所有人不注意的情況下，悄悄向西方飛去。

第五章 運補太平島

除了在東沙島略做整補外，運補支隊一路上沒有停過，中興艦的情況也大為好轉，已能維持十節的速度，估計再過兩個小時就抵達中沙附近的海面。中沙其實稱不上是群島，連群礁也勉強，因為大部份的時候所有礁石都在海平面下，只有漲潮時才會有一些大小礁石冒出來。中沙就在西沙的旁邊，中共南海艦隊的若干船隻應該已集結在這裡。

抵達東沙時，運補支隊原是無須停留的，可是要等總部新的消息，林永祥也和艦令部通上電話，司令親自接的，他告訴林永祥計畫不變，因為總部已和美軍艦隊取得連繫，美軍明確了解運補支隊是要去太平島做例行性的運補，美軍會留意運補支隊的情況，必要時會提供協助的。美軍的艦隊指揮官和司令是舊識，兩人曾在美國同時受過訓，也算是同學的情誼，所以司令認為運補支隊的南行問題不大。

美國艦隊所做的聲明還是往香港和新加坡做敦睦，公佈的航線是經台灣海峽到香港，再按國際航道經南海到新加坡，絕口不提南海的衝突，林永祥卻始終覺得美軍的行動透著些詭異，尤其是這個艦隊的規模簡直到了壓死人的地步。旗艦是CV-62獨立號航空母艦，這是美國海軍在遠東的最大艦隻，排水量達六萬噸，是南陽艦的二十倍，而且載有八十架的艦載機，包括著名的F-14雄貓式戰機。護衛的有CG-62貝克那普號飛彈巡洋艦、CG-52龐克希爾號巡洋艦，後者更是神盾級巡洋艦中首艘改採飛彈垂直發射系統的防空艦，有一百二十二枚的飛彈。另外還有一艘DDG-995史考特號驅逐艦、兩艘和成功級相同的派里級巡防艦，尚有四艘補給艦同行，一共是十艘軍艦，這還不包括數目不詳的伴隨潛艦。從美軍退出菲律賓以後，這是南海出現最驚人的艦隊，美國怎可能莫名其妙的派這麼可觀的艦隊去做敦睦行動？

林永祥相信美軍是站在東南亞國協的立場，畢竟美國和東南亞國協有深遠的關係，所要嚇的是中共和越南，至於台灣則根本不是美軍艦隊關心的，不嫌台灣艦隊礙著他們的航道就不錯了，不可能會提供協助的，司令顯然是太過於樂觀。這麼龐大的艦隊，林永祥想，各國海軍的艦隻應該會在美艦抵達南海之前全部撤出，沒有人會想不開的和美艦別苗頭，再說等美艦走了再回南沙來搶地盤也不會有什麼差別的，除非美國在每一個島礁上擺一架垂直起降的戰機。

根據最新的資料，中共南海艦隊幾乎已全數離開湛江港，而潛艦的母港海南島的榆林也顯得很忙碌，可見中共對南沙和西沙的衝突已做了大幅度的動員，最令林永祥擔心的是中共一個約五、六艘軍艦組成的艦隊正從西沙往中沙前進，不去南沙找越南的艦隊，卻往中沙來，中共是針對運補支隊或是美國的艦隊呢？

越南艦隊則仍集結在太平島十二海浬領域內，太平島的報告做了最新的確定，越南的艦隊是由三艘PETYA級巡防艦和兩艘大型登陸艦組成，而這兩艘登陸艦和中字號屬於同級，是美國在越戰期間送給南越政府的，南越被解放以後，理所當然的成爲共黨政權越南政府所有。林永祥想，劉金虎要是在太平島看到這兩艘登陸艦，感覺一定很差。

菲律賓的四艘巡邏艇很不信邪的也往北方移動，可能是想監視中共海軍的動態，那些小船也未免太不量力，總部的判斷是菲律賓可能會是下一波戰火的挑起者，因爲菲律賓希望南海衝突愈嚴重愈好，這樣國際間就會更關注這個地區，那麼老共對菲律賓所佔的小島就不敢有動作，這四艘巡邏艇可能就是以犧牲打的姿態向北移。

吳本立的評估和總部的相同，都認爲各方全在靜觀其變，誰也拿捏不準下一刻鐘的局勢，更不敢有貿然的動作，於是就不約而同在這個區域裡『卡位子』，搶到對自己最有利的位置，對未來有什麼變化在反應上就比較快。

氣象消息更令人鬱悶，這個叫做約瑟夫的颱風正朝菲律賓奔來，要是通過呂宋島，對南海的威脅還比較小，要是從菲律賓和婆羅洲間的巴拉望島吹去，那對在南海的船隻眞會造成很大的殺傷力，何況它仍在擴大之中，有可能成爲強烈颱風。

吳本立卻對颱風的來臨相當樂觀，他對林永祥說：

『艦長，南海情勢現在這麼緊張，對我們最不利，我們只想保住太平島，從沒說要搶其他的島，偏偏有可能捲入戰爭中，颱風來了把大家吹一吹，至少防颱都來不及，開戰的機會要小多了。』

希望是如此吧。艦務長朱火貢已帶著官兵展開防颱的演練，最棘手的是直升機，十多個人忙著把飛機連拖帶拉的送進機庫，賴正中緊張的指引著方向，這種小直升機碰撞一下也許就受傷，影響到飛行。

突然林永祥叫拖直升機的行動暫停，他對賴正中說：

『賴上尉，趁著天氣還好，你先駕機去觀察一下。』

林永祥把海圖就在甲板上攤開，他指著中沙的方向說：『你的飛機行動半徑是多少？』

『大約是一百海浬。』

『好，你往中沙飛，目標是比微暗沙，我總覺得這個沒有船隻敢進入的淺礁區裡有點名堂，而且這個地區會威脅到我們的航道。』林永祥說，他的想法是，只要衝過中沙東方的海域，接下來的航程就會比較舒坦，因爲以後的航道會暴露在菲律賓的海岸旁，菲律賓是所有周邊國家中最不具威脅性的。

賴正中很興奮的又招呼士兵把直升機推回甲板正中央，沒多久就在隆隆的螺旋槳葉轉動聲裡起飛。500MD的時速只有一百一十海浬左右，換句話說，在空中執勤的時間約一個小時，在一個小時之後艦隊就會接近中沙，事先觀察是有必要的，而且他也要艦上人員熟悉和空中直升機的聯絡。

林永祥送走了賴正中就到上官廳吃飯，伙伕長特別準備了MISO湯，伙伕長原來是日本餐廳的大廚，他常說：

『你們知不知道，如果日本人早餐沒有MISO湯，這是可以構成休妻條件的。』

只要看到有MISO湯，就表示伙伕長今天的心情特別好。伙伕長是個釣魚狂，聽說要到太平島，全軍艦的官兵裡就數他最高興。

作戰長吳本立也在，他準備吃完飯好去接替兵器長李文龍的航行值更官工作。林永祥就坐到吳本立旁，吳本立原來已吃完，看到林永祥來，就再去拿了杯咖啡。

『艦長，』吳本立啜了口咖啡說，『聽說你要去美國念書？』

林永祥笑著點頭。

『你覺得現在的時機好嗎？』

林永祥好奇的抬起頭看著吳本立，這使吳本立覺得自己說錯了話，他急著糾正：

『我的意思是現在海軍正在更新裝備，成功級和諾克斯級一艘艘進來，向法國買的拉法葉級也快開始交艦，艦長是海軍的精英，頂多一年就會升上校去接成功級，未來的前途看好，如果去美國念個兩年書，回來又得重新回總部當參謀或是再接老陽字號，很划不來。』

林永祥沒有說話，他喝著MISO湯問吳本立：『你出去念過書，你說說你的經歷。』

『艦長，你很清楚，我現在是回頭幹，我同期的同學早就做完艦上的幕僚長了。』

『可是你因為出國念了書，你比你的同學未來有前途。』

『艦長，我說的你不要生氣。』吳本立等著林永祥的回答。

『不會，我不是那種人，就直說吧。』

『好，艦長，我出去念書時年紀輕，回來以後重新熬還不是大問題，但艦長不一樣，一去兩年，回來是沒有新艦經歷的老中校，那時候的心境會很不同的。』

林永祥陷入沈思之中，吳本立見林永祥沒有說話，他有些尷尬的說：

『兵器長等著我去接班，我再不去他要開罵了。』

林永祥點點頭，吳本立行完禮快步的離去。

該不該為了惠娟去美國呢？他是下了多大的決心才去考托福，可是現在他又猶豫了，不只是在海軍裡的前途問題，他實在沒有把握能不能在美國靜下心來念書。眞念個碩士回來，對他而言也只是向娘家吐口悶氣罷了，他自己一點不在意那個學位，就算他念到博士，叫他不出海，他也是受不了的。

林永祥一個人慢慢的吃著他的飯，伙伕長爲他加了兩次MISO湯，直到擴音器喊著他，才把他從MISO湯裡拉回來。

直升機正接近軍艦，林永祥抹抹嘴走回甲板，賴正中帶回驚人的消息，他在北緯十六度，東經一百一十四度附近發現了中共的兩艘船艦，都躲在島礁的後面，海平面雷達不容易發現。他的飛行是在島礁和島礁間穿梭的飛行，當他穿過其中一塊較大的礁石後，險些撞上中共軍艦的桅桿。賴正中說：

『據我的觀察，那兩艘都是新的江衛級巡防艦，我看到艦首有六連裝的對空飛彈發射器，艦尾還有直升機甲板，和原來的江滬級巡防艦不同，他們也發現我，不過沒有做攻擊的動作，任由我飛走。』

兩艘江衛級巡防艦躲在中沙做什麼呢？要狙擊運補支隊？

艦上拉起警報，所有人員就備戰位置，支隊在半個小時之後就會接近中沙了。

雷達天線不停的轉動，江衛級的船速平均約在二十五節，而運補支隊只有十節，林永祥知道想躲開和中共艦隊的遭遇是不可能的，即使他現在就轉向，江衛級存心要找上他，他也是躲不了的，只有備戰一途。

這兩艘江衛級應該在中沙已埋伏了至少一天以上，所以南陽艦上的雷達沒有發現它們，此時如果有空軍的協助就好了，不至於到了最後關頭才搜尋到敵蹤。

該不該通知艦令部呢？既然老共已經存心等運補支隊，且發現了南陽艦上的直升機，再爲了行軍機密保持無線電的靜默似乎毫無意義，不過林永祥仍未發出電報，他想不通，中共爲了獵殺南陽和中興艦會如此費事？吳本立和他有同感，吳本立的看法是中共埋伏兩艘新艦在此，必是爲了狙殺原本早該北上的越南艦隊。

吳本立說：

『老共若是眞的在等越南艦隊，我們在這個時候發出電報回去，等於是公開老共的作戰秘密，說不定反而激怒老共，朝我們來了，我們不該捲入中越共間的戰爭。』

老盧卻不以爲然：

『你這樣不是怕老共嗎？我們軍人怕老共，不要說讓老共笑話，我們豈不愧對這身軍服，總不成要我們看到老共的船就夾著尾巴逃吧。依我看，他們敢來，我們就開打。』

場面顯得很難收拾，老盧的脾氣是拗出名的，林永祥趕緊嚴肅的站出來：

『不是怕，是不想找麻煩，總部如果擺明有戰鬥的準備，就不會只派一艘陽字號出來，更不會挑上我們老陽字號。』

『我們是受氣包啊。』老盧哇啦啦的叫起來。

林永祥冷靜的說：

『沒錯，我們被派出來是運補太平島和找空軍的飛機，不是來開戰的。』

所有的人都不再說話，每個人都淸楚，他們和這艘老船是相同命運的，就是要裝出可憐的模樣，在各國的空隙之間設法生存。

老盧心裡不是不明白，他的嘴還是繼續叫出來：

『我們活該倒楣，任務加給只有新陽字號的一半，輪到上第一線，新陽字號還躲在後面，要我們來當靶子，這太沒道理了吧。』

何止是老盧，每個人肚裡的不滿都被激起來，林永祥制止老盧繼續發言，他說：

『話就說到這裡，傳到阿兵哥的耳朵裡，士氣會被我們自己打光。我只有一句話，講起來有點噁心，可我也找不到其他的話，相忍爲國哪。』

雷達還是沒發現兩艘中共的軍艦，這意味敵艦仍躲在礁石後面沒出來，這有兩種可能，第一種是老共不知道運補支隊已經發現他們，還在守株待兎；第二種是老共的目標不是台灣的艦隊，沒必要暴露自己，也不相信運補支隊會把他們的位置通知越南或其他國家，他們維持現在的埋伏仍是可以對他們的目標展開奇襲的。

賴正中則很確定老共看到他的飛機。

『我和他們的距離很近，我是繞過礁石才看到他們的。』

那麼就是第二種可能了？

七六砲轉動起來，雄風飛彈上的僞裝網也拉開，兵器長李文龍叫起來：

『有了，他們出來了。』

雷達幕上多出兩個光點，距離是十五海浬，在雄風的射程內。

『沈著。』林永祥對部下說。

江衛級上的一百厘砲射程是九到十二海浬，鷹擊反艦飛彈是二十二海浬，和南陽艦的火力範圍差不多，也就是說，運補支隊也已然暴露在江衛級的飛彈威脅下了。

對空雷達也搜索到目標，是江衛級上的直九型艦載直升機，正朝運補支隊飛來。

李文龍下令艦尾的海樹樹防空飛彈備戰，這是一種和中興艦剛裝上的西北風類似的近程對低空的防空飛彈，原是陸軍用的武器，在武進二號改良計畫中裝到老陽字號上來，以補強防空的戰力，射程大約五公里，射高約三千公尺，過去演習時表現不是很理想，在海軍有了美國的標準型防空飛彈系統後，就不再於其他艦上裝海樹樹了。

飛彈的瞄準手坐在發射器中央，兩邊各有兩枚飛彈。林永祥想，對付直升機總該沒問題吧。

不多久，直九出現在林永祥眼前，那原是法國的海豚式，近年才授權給中共生產，是中共旅大級、江湖級、旅滬級和江衛級的艦載反潛機，比500MD要大上一號，最大速度是一百四十節，據說可以攜帶老共製的鷹擊反艦飛彈進行空對海的射擊。

吳本立拿著望遠鏡看了許久才說：

『沒有掛飛彈。』

眾人頓時鬆了一口氣，直九是來觀察運補支隊的，至少現階段並無敵意，但直九也未免有些過分，它幾乎飛到南陽艦的頭頂上來，根本不在意海樹樹早對著它。

『再過來，再過來老子用手槍把你轟下來。』

老盧怪吼起來，把士兵惹得也哄笑起來。

直九盤旋了有十多分鐘才離去。隨後兩艘江衛級也掉頭遠去，大概是又躲進礁岩後面。艦上每個人的神經繃得很緊，直到艦隊通過中沙水域。

『解除戰備。』

林永祥下令，但他叫賴正中再起飛，這次的經驗使他覺得不能完全信任艦上的對海雷達，南海的礁石又特別多，會阻礙雷達電波的搜索，既然艦上有直升機，就要好好利用，不論對方是否有敵意，能先知道敵人的位置總是最佳的自我防衛。

賴正中一臉通紅，才上船沒多久就被曬成蝦子了。

500MD又離艦起飛，林永祥站在甲板上向他揮手，颱風快來了，希望颱風帶來的是好運，把南海的戰火壓下去。

左營的艦隊司令部並不知道運補支隊發生的事，在支隊離開東沙後不久，艦令部就失去支隊的消息，他們一再和空軍聯絡，要空軍派飛機去偵察，可是美國艦隊還在東沙島附近海面，空軍的飛機奉命暫時不離開台灣上空，艦令部也無計可施。

颱風消息再使艦令部為支隊擔心，約瑟夫颱風行進的速度很快，也已經擴大為強烈颱風，朝菲律賓的巴拉望島直奔而去，南陽艦可以挺得住，只是中興艦的推進系統不理想，在颱風裡不知能否應付得了。總部唯一能做的是不斷的把消息發出去，讓支隊能得到較多的訊息。

也許是颱風真的幫了忙，運補支隊離開中沙水域後就不再看到其他國家的武裝船隻，可能都是找地方去躲颱風了，但說也奇怪，颱風在菲律賓東南方卻滯留不前，林永祥認為這是難得的機會，他下令全艦二十四小時不停的趕去太平島，先把補給品送上太平島，再想法子搜索么四洞五號機，在複雜的南海情況中，能先完成一項任務就先完成，免得有突發狀況，運補支隊的能力有限哪。

出發後的第三天中午，艦隊平穩的駛入南沙，颱風來臨前的天空是那麼的燦麗，整個天空都是急駛而過的濃郁雲塊，卻遮掩不去泛著橘紅色澤的海天交際之處。林永祥站在船舷，連日來的心理壓力就在這剎那消失得無影無蹤，他甚至連赴美一事也不再多想了。這是他愛海的理由，因爲海即使在快速的變化之中，也顯得那麼從容。

執勤的作戰長吳本立派人通知他，太平島就要到了，越南艦隊也還停留在該地，確定爲三艘PETYA級巡防艦和兩艦登陸艦，都沒有配備反艦飛彈。PETYA的主要武器是兩座雙管的七六砲，最大射程是八海浬，林永祥下令艦隊在太平島的碼頭外下錨，和越南船隻保持十海浬的距離，南陽艦備戰，中興艦則準備下貨。

太平島的西方就是么四洞五號機可能墜毀的鄭和群礁，林永祥叫人把賴正中喊起床，這小上尉有個頭痛問題，會暈船，剛出發時因爲興奮還不覺得，等到船過了中沙，他再也忍不住的吐起來。以前空軍的那個寶貝林志霄曾經告訴他：

『當空軍的最怕坐船，我們從不暈機，可是奇怪，十個空軍有九個會暈船。』

看樣子眞沒錯。

賴正中的臉色慘白，林永祥想起自已頭一趟出海的模樣。他問賴正中執行任務有沒有問題，賴正中急著搖頭，他大概等林永祥叫他去開直升機等了很久了，上了飛機他就不會再暈了。

林永祥不想浪費時間，他叫賴正中馬上駕機到鄭和群礁去搜索么四洞五號機。

太平島上有相當多的樹木，其中大部份是以前駐軍種的，使得現在從海上看太平島，倒不覺得單調，林永祥還認爲太平島上應該造旅館，說不定能發展成度假聖地。白色的沙灘、藍色的海洋，釣不完的各種魚蝦，和走上兩步就可以找到的海龜蛋。本來太平島上的鳥糞是很好的燃料，運補艦隊返航時都會載滿鳥糞和海龜，如今鳥糞也不値錢了，反倒是弄點海產回去可以好好補上一陣子身體。

中興艦打開它的大嘴，水鴨子慢慢駛出來，把滿滿一船的貨往岸上運，打著赤膊的陸戰隊隊員早在岸邊等著，每個人把六五步槍橫在身後，儼然是早已進入戰備的打扮。

一艘漆著鯊魚利齒的陸戰隊突擊艇快速的駛至南陽艦艦身旁，兵器長已派人把繩梯放下去，來的是太平島的指揮官，張繼仁少校，一個被曬成生鐵般身軀的大漢子。

雖說陸戰隊的紀律最嚴明，但在太平島上當指揮官眞是苦，自己想家不說，還得設法安撫下面官兵思鄉的情緒，副司令在運補支隊出發前，叫人送了五打金門高粱到南陽艦上，是給張繼仁的。

林永祥引張繼仁到官艙，伙伕長早做了他拿手的冰凍紅豆湯，張繼仁和他的兩個參謀唏哩呼嚕毫不客氣的喝起來。林永祥叫伙伴長把剩下來的紅豆湯馬上送到島上去，包括副司令的高粱酒。

太平島的局勢不是很穩定，越南艦隊未走不說，前一天有中共的戰鬥機飛過島上空，張繼仁曾下令做警告性的射擊，而今天上午還看到了印尼的兩艘軍艦出現在附近，但只逛了下就離去。

『報告艦長，』張繼仁說，『謝謝你們跑這趟，我們有了這次的補給品，大概撐個半年沒什麼問題，不過我們到現在還沒發現空軍那架飛機的影子，我們的突擊艇也跑不遠，恐怕得偏勞你們了。』

劉金虎和飛彈部隊的一個少尉也來到南陽艦，劉金虎好像幾天沒睡覺，紅著兩個大眼珠子，他是來把少尉交給張繼仁，另外他艦上的陸戰隊增援人員也已經送上島去，張繼仁卻問：

『我們連上有兩個班的人下個月要退伍，是不是跟你們的船回去？』

這問倒了林永祥和劉金虎，因爲上面只叫他們送人來，沒說要接人回去。

『大概是他們忘了，那兩班的弟兄已經打包好了，麻煩劉艦長派船接他們。』

太平島現在最需要人手，張繼仁爲什麼不把人留下來，好歹那些兵還有一個月才退伍。

『不行，下趟船不知道什麼時候才來，我不能把人留在島上退伍。』

劉金虎聳聳肩的去交代他的船到島上接人。

送走張繼仁，林永祥把酒拿出來，和劉金虎兩人解開軍服的釦子坐下喝起來。

林永祥的主意是南陽艦再多待一天，中興艦則到西方的鄭和群礁去找么四洞五號機。

『我們釘著越南船，以防他們有什麼動作，也可以轉移他們的注意力，免得我們的任務曝光。』林永祥說。

劉金虎點頭，他說：

『總算是到了太平島，這一趟跑得我心驚膽跳，尤其是離開中沙的那段，我的鍋爐好像隨時要爆炸。怎麼，永祥，想開了沒有，還是決定去美國？』

林永祥笑起來：

『我先賣個關子，回到台灣再說吧，工作還沒結束哪。』

賴正中飛回來，什麼也沒發現。

『海上亮得發藍，連浪也沒有，我飛得很低，伸手可以撈到魚，沒有看到半片的鐵。』

儘管如此，中興艦還是駛離了太平島到西邊去，船上裝了一艘小型快艇，劉金虎自己駕著快艇在礁石與礁石之間尋找，500MD也一天出動了四次。

越南艦隊開始移動，三艘PETYA都朝太平島做試探的接近，張繼仁向林永祥請示，林永祥不願貿然開砲，免得越南駐台灣代表處又去向外交部抗議，他想出了個主意，他叫張繼仁用突擊艇把一個大型浮標拉到島和越南軍艦之間，林永祥也以摩斯明碼通知越南軍艦，南陽艦要做訓練射擊，目標就是那個浮標，而浮標距越南的先頭艦只有三海浬，這個警告已經夠明確了。沒想到越南艦隊沒理會，還慢慢的往裡靠，林永祥決定試射一枚雄風。他叫兵器長李文龍做準備，他特別詢問飛彈的狀況，因爲只要稍微一偏，就會打到越南船，萬一沒打好，也會讓越南人看笑話，益發的放肆了。

『沒問題，』李文龍說，『我用飛彈和七六砲一起打，準打到，而且畫面會很壯觀，嚇死越南人。』

南陽艦上上下下全忙起來，每門砲都不停的轉動砲塔和砲管，越南艦眞有點顧忌了，停止了移動，李文龍報告全部準備妥當，林永祥下令發射。

先是四〇砲開火，接著雄風發射，七六砲也隨後猛射，岸上守軍的五吋砲也轟起來，只見海面上一片彈霧，足足打了一分半鐘，當彈霧散去時，那個浮標早不知給打到哪裡去了。

越南人打燈號來，指南陽艦的流彈打傷了兩個越南士兵，林永祥回電，說演習通知在先，既然越南人不理會，也就自己負責吧。

越南艦隊撤退了，五艘軍艦排成一排的向外海退去，艦上發出歡呼聲，只有吳本立急著對林永祥說：

『艦長，美國艦隊南下了，我們如果不早返航，我擔心會在中途遇上美艦，萬一老共的埋伏是針對老美，我們會捲進去的。』

林永祥從勝利的快感中醒過來，他感謝的拍拍吳本立的肩膀，立刻下令做啓航的準備。

林永祥決定先往鄭和群礁去，和劉金虎會合，收回直升機，經過這一天多的尋找，既然連影子也找不到，那就往北移，到道明群島去試試看手氣。道明群島幾個比較大的島都已經被佔領，菲律賓佔了北子和南子礁，老共佔了中業島，越南佔了渚碧礁，據說也都有軍隊駐在島上，可是人數很少，一個島充其量一個排吧，南陽艦的安全不會有顧慮，只是要擔心搜尋行動會引起各國駐軍的注意而暴露了企圖。事已至此，也顧不了這許多了，林永祥下令啓航，全速向西航去。

劉金虎坐了直升機來南陽艦，他聽完林永祥的計畫，也點頭稱是，他說：

『鄭和群礁是沒指望了，那麼大的一架飛機出事，不可能連一點碎片也沒留下，早點往北移也是對的，我打算把磁氣探測器裝在直升機上，那麼就算是夜晚也可以繼續找。』

林永祥強迫劉金虎到他房間去休息，自己則走到艦首，他實在爲躲在中沙礁石後的兩艘軍艦煩惱，如果老共眞是打算在那個地方對美國艦隊突擊，那是很有可能成功的，江衛級上裝的鷹擊反艦飛彈據說是用了法國飛魚飛彈的技術，飛魚在英阿福克蘭戰爭期間曾讓英國海軍吃了不少苦頭，它的射程有二十二海浬，從礁石後面攻擊航道上的美國艦隊是綽綽有餘了，他應該對美軍或是艦令部提出警告嗎？如果不發出警告，他一點也不必爲老共突擊美艦負責，他出航前接受的指示是在遭受敵人攻擊時才能解除無線電靜默的限制，老共攻的是老美，不是他。老美被攻擊，是美國和中共發生戰爭，和台灣沒有關係，說不定反而有好處。如果他通知了艦令部或是以明碼發出讓美艦截收到這個情報，老共當然也可能會截收到，這一來是不是讓老共找到理由攻擊台灣呢？這一年多來老共爲了李總統的訪美，已經對台灣充滿敵意，這豈不是正好成了老共發動戰爭的藉口？

他是艦長，是這個行動的指揮官，他要爲決策負責，林永祥決定不通知艦令部，若是老共存心要打老美，攔住了他們的這次機會，還是會有下次的，何況老美艦隊自己該有警覺，他是軍人，他沒有必要去做政治上的考量。

找么四洞五號機，這是運補支隊的另一個任務，林永祥要在最短時間內完成，他不願意在返航時遇到美國艦隊，他對輪機長下令，全速航行。

第六章　孤獨的旅程

林志霄和楊易帆順利的飛抵愛爾蘭南方約五百公里，也就是北緯四十八度，西經十一度附近的大西洋海面，他按照原訂的計畫，向法國的地面管制站表示引擎有點不穩，希望能就近落地檢查，法國的塔台通知他，提前結束飛行訓練，林志霄便和楊易帆改變航向，朝法國和西班牙之間的比斯開灣飛去，在接近波爾多時，地面管制站突然再通知他們，在蒙特派利爾城旁的一個小機場降落，這和原來計畫裡穿越法國南部進入地中海的航線不同，可是地面管制站沒有多做說明，林志霄一頭霧水，但他只有遵照管制站的引導降低高度，在蒙特派利爾降落。

這是法國在里昂灣旁的一個小城，機場的設備很完整，法國空軍在此駐有一個聯隊的幻象F1戰機，當林志霄快落地時，他聽到馬大個的聲音：

『小子，漂亮，我來頒獎給你們了。』

馬大個專程飛來這裡，原來是林志霄到英國的飛行表演在法國引起熱烈的討論，法國空軍總司令部對台灣的這兩個飛行員充滿好奇，因此希望能和林志霄和楊易帆談談飛『眼鏡蛇』的心得。林志霄跳下戰機，馬大個對他說：

『沒辦法，法國佬眞是他媽的好奇，你們就去談談吧。』

是兩個將官級的法國空軍，他們表現出極高的熱情，對林志霄簡直是推崇有加，這把林志霄弄得有些不知如何是好，因爲他早準備好要做長程飛行，心情一時調整不過來。

一輛黑色大轎車把他們載往市區，法國人要請他們吃飯，這裡是里昂灣，林志霄突然想起蘇菲，蘇菲是這附長大的，他問法國人有沒有里昂菜的餐廳，留著一嘴白鬍子的法國中將笑起來，說林志霄是行家。

車子駛進一家門面不大的餐廳，法國人吃晚飯的時間都很晚，這時還早，餐廳裡沒什麼人，他們就在靠窗的桌子坐下，蘇菲曾做過一道鴨肉，淸爽入口，說是里昂的名菜，那味道和北京烤鴨、南京板鴨或香港的燒鴨絕對不同。餐廳老闆對林志霄說的鴨頗感得意，因爲那是他的拿手菜，兩個老法也搖頭晃腦起來，認爲林志霄是老饕，還是馬大個瞧出來：

『你可以去打個電話，你自己告訴她吧，免得要我傳話。』

林志霄有些猶豫，他原來是要回到台灣才打電話給蘇菲的，他還是站起身到櫃台旁的一個大木箱裡去，裡面有一具老式轉盤電話，他在撥號碼時不禁爲要怎麼開口而有放下電話的衝動。沒人接，林志霄再打到拉法葉百貨公司去，是蘇菲的秘書，說蘇菲已經下班了，林志霄就留了話，他要秘書轉告蘇菲，說他會再打去的，他一切順利，而且他正在吃里昂的鴨。秘書聽了直笑個不停。

這個時間蘇菲應在回家的路上，林志霄有些悵然若失的感覺，但他仍得打起精神和法國人聊。

因爲這一耽擱使整個行動都延後，飛機將在蒙特派利爾加油，裝滿三個副油箱再飛，那個法國空軍中將的來頭似乎不小，他捏著鬍子說，一切都沒問題，他和希臘空軍很熟，兩國飛行員經常互做長程的飛行，所以他取消了西西里島的空中加油，林志霄和楊易帆可以直飛希臘南邊靠愛琴海的一處基地落地加油，其間可以穿越義大利南部，他也通知了義大利方面，說是有飛行訓練。從希臘起飛後，可以經由蘇彝士運河的上空進入沙烏地阿拉伯，也在當地落地加油。

看樣子在英國冒險做的『眼鏡蛇』是有相當代價的，能夠不用空中加油是最好的，在天空中的狀況比較難掌握。

吃完飯，林志霄原想再去打個電話試試，但大家都急著離去，他想到了基地再打好了，沒想到轎車把他直接拉到機坪去，馬大個裝作不知道林志霄的心事，基本上馬大個仍是『飛鷹』計畫的實際負責人，他對『飛鷹』的關心程度當然遠超過林志霄的法國女友，但至少馬大個還是說了：

『放心，我會幫你打的。』

兩架幻象2000-5加滿油在跑道頭已經發動起來，臨上機前，林志霄和楊易帆再做一次路線研究，楊易帆突然問林志霄：

『學長，我還是想不通，你究竟是怎麼把幻象弄出COBRA來的？』

林志霄苦笑的說：

『勇氣。』

『喔，那要是叫你再做一次，你會不會做？』

『打死我也不做了，』林志霄大笑的說，『我還想保住這條命哪。』

『那你剛才對法國人說的全是假的啦。』

『你放心，法國人絕不會用我的話去嘗試COBRA的，法國人心裡有數，那是玩命。』

兩架幻象在暮色中拉出橘紅的火焰奔上天際。這時是法國時間下午七點。

沒多久飛機駛進地中海，過去的訓練都在大西洋岸進行，林志霄從沒飛過地中海，他看到海上全是船，有黑色的商船，也有白帆點點的遊艇，他或許也該弄條遊艇帶著蘇菲到愛琴海去。

離開法國之後，林志霄心情變得比較輕鬆，『飛鷹』終於開始執行了，在此之前林志霄始終不相信這個近乎瘋狂的計畫，他固然全力的準備，但他總覺得太不可思議，沒想到眞的實施了。

愈飛天色愈黑，這趟航行是朝黑夜飛去，因爲他的飛行和地球運轉的方向相反，這是跨越時區的飛行。

在出發前林志霄和楊易帆商量好，盡量不通話，楊易帆不會法文，他們只能用英文，這會使其他國家的截聽單位感到不解的，法國人幾乎不說英文。兩架飛機的電腦裡都輸入相同的飛行路線，也都用巡航速度飛行，是不會飛散的，林志霄轉過頭，他可以看到另一架幻象機尾正一閃一閃的紅燈。

穿越義大利後林志霄便打開無線電，準備和希臘的管制站聯絡，但尚未聯絡他就看到雷達幕出現兩個光點正緩緩的向他們接近，是兩架希臘的幻象2000-C，希臘一直是法國戰機的主要出口國。一左一右，兩架希臘戰機就飛在林志霄和楊易帆兩側，林志霄依稀可以看到希臘飛行員向他揮手示意。

希臘飛行員會說法文，教林志霄跟著他們走，林志霄也用法文表示謝意，飛機降下速度，降落在機場，打開座艙罩才看到跑道兩邊全是幻象，吉普車把他們接到待命休息室去，希臘飛行員是留法的，講起法文來沒個停，這使楊易帆很難對付，到了休息室就藉口拉肚子窩進廁所去，留下林志霄和希臘人打屁。希臘人對林志霄是黃皮膚黑眼睛感到好奇，林志霄只好把越南人那套再拿出來用，沒想到希臘人居然問他有沒有打過越戰。

休息室裡有電話，希臘飛行員很客氣，拿出電話卡借他，林志霄緊張的撥出電話，蘇菲回到家了，可是正在電話中，她平常話不是很多，此刻會是和誰講這麼久呢？林志霄心情變得紊亂起來，倒是那個希臘人好奇的問他是不是打回法國給女朋友，不料是因爲這個電話使希臘人不再追問法國越南人的事了。

臨登機前林志霄再試了一次電話，仍在電話中，林志霄只好作罷，他不該打電話給蘇菲的，這會使他分心，他必須要專心飛行，還有好長的一段旅程等著他。

希臘飛行員把他們送到克里特島以後才擺著機翼示意離去，下個目的地是沙烏地阿拉伯的利雅德了。

兩架幻象很快就通過了地中海，進入埃及後林志霄刻意低飛，他想看一看金字塔，但他沒有機會，埃及的地面管制站呼叫他，說他飛出了航道，林志霄只好拉回來，掠過蘇彝士運河就進入沙烏地阿拉伯。當地時間是凌晨兩點多，可是林志霄把高度維持在兩千公尺，這使他可以在月光裡看到地面上的沙漠，如果不是已經知道這是沙漠，林志霄或許會誤以爲他又飛進了地中海，因為在月光下，地面也是如波浪般的起伏，林志霄甚至還可以看到拉著白帆的小船。

一列火車出現在波浪之中，那是由土耳其經過敍利亞、約旦，直通聖地麥加的朝聖鐵路，在這個夜晚，這片大沙漠裡，林志霄可以感受到火車的孤寂，如同此刻的兩架幻象。

沙烏地阿拉伯的空中管制比歐洲任何一國都緊，從進入沙漠起，管制站就不停的要林志霄報位置，而且也隨時修正他的航道，這可能和沙烏地阿拉伯和伊拉克仍處於戰爭狀態中有關吧。出發前法國中將曾告訴他，最麻煩的會是阿拉伯，就他所知，全世界最一板一眼的就是阿拉伯人。為了讓阿拉伯人不亂猜，法國方面告訴阿拉伯人的是兩架幻象要飛到印度去做表演，印度過去買了許多幻象，最近也對幻象2000-5有興趣，阿拉伯人是不會對此起疑的。

兩架F-15在空中等著幻象，這是沙烏地阿拉伯最精銳的戰機，林志霄可以看到F-15的機翼下吊著響尾蛇和麻雀飛彈，果然是戰地，連對盟國的飛機都如此謹慎。阿拉伯人不好對付，他得當心。

飛機落地後，幾個阿拉伯士兵把林志霄和楊易帆隔在跑道邊上，幾個機工打著燈檢查幻象，楊易帆有些緊張，林志霄用英文對他說，沒關係的，阿拉伯人是在檢查機上是否眞如當初通知他們的是沒有武裝的戰機，這一路上阿拉伯的塔台也曾兩度再確定此事，現在他們要眼見爲信。

法國駐在當地的空軍指揮官坐著吉普車來，是個四十多歲，非常魁偉的飛行員，他一下車就握住林志霄的手，對林志霄的COBRA演出簡直是讚不絕口，他對林志霄說，現在全法國空軍都知道有個高手，可是都不知道是誰，他有幸能見到林志霄眞是太興奮了。

指揮官顯然清楚林志霄的任務，但他絕口不提，只是一再追問飛COBRA的過程，並不停的瞪大兩眼搖頭，做出不可思議的表情。

飛機加好油，阿拉伯人不再懷疑，法國指揮官送林志霄和楊易帆登機，臨登機前他才握住林志霄的手說，他眞是羨慕林志霄能有這次長程飛行的經驗，但他也警告林志霄，根據他的經驗，這趟飛到馬爾地夫做空中加油，林志霄的油量會很吃緊，他一定得小心的保持飛行高度不可，最好不要有用後燃器的念頭。林志霄感激的回握對方的手，他說希望有機會再到法國，也期待能再見到他。

法國空軍充滿爲台灣打抱不平的人，他們認爲全世界有三個被國際社會排除在外的國家，台灣、以色列和南非，偏偏這三個國家都是特別的令人敬佩，如今以色列和南非都被國際接納，只剩下台灣，這使法國飛行員對台灣來的人尤其有好感，這個指揮官也顯然是台灣的同情者。

仍是兩架F-15引導幻象飛離沙烏地阿拉伯，林志霄是從阿曼穿出沙漠的，他已飛進阿拉伯海，馬上轉向東南方。

按照最初的研判，這是最危險的一段航程，特別要當心巴基斯坦的戰機。巴基斯坦和中共有非常親密的軍事合作關係，巴基斯坦買了相當多中共製造的殲擊機，這幾年又和中共合作開發了練八型噴射教練機和稱爲FC-1的戰鬥機，中共也在當地駐有不少的技術人員和飛行教官，馬大個警告他說，萬一老共知道『飛鷹』的計畫，最有可能進行攔截的地區就是印度洋，而且飛巴基斯坦戰機來攔截的可能是中共的飛行員。

林志霄計算過，殲七的最大續航距離是兩千兩百三十公里，但殲七沒有空中加油的設備，因此要考慮回程的飛行，眞正的行動半徑只有一千多公里，若是執行空中攔截任務，在兩個副油箱之外還得掛飛彈，實際上的作戰半徑大概只有六百五十公里。巴基斯坦還有美國造的F-16A/B型戰機，最大的作戰半徑可以達到一千兩百公里，整個阿拉伯海都是F-16的威脅範圍，所以他必須得盡量的南飛，他的油量很吃緊，沒有和對方纏鬥的能力。

空中加油點是在北緯五度、東經七十一度的馬爾地夫群島上空，這裡距離印度也很近，儘管法國和印度的關係不錯，可是印度和中共的關係更好，因此法國並未將這次的行動告訴印度，最可怕的是中共掌握『飛鷹』的計畫內容，而在馬爾地夫附近攔截，林志霄的問題就大了。

林志霄把高度提升到一萬五千公尺，以接近兩馬赫的速度向馬爾地夫飛去。

就在林志霄剛離開沙烏地阿拉伯，台灣的空軍總部卻燈火通明，國安局的局長在總司令辦公室內，兩個匪諜在國安局持續不停偵訊後，終於吐實，出賣『飛鷹』計畫給匪諜的是參與此一計畫的空總參三『飛鷹』小組副組長林文明少校，他的內弟和這兩個匪諜有交情，透過內弟而從林文明手中弄到這份資料的。

林文明是空軍的後起之秀，不久將被送到美國受訓，他還是單身漢，去年認識了一個女電視演員，兩人打得火熱，在空軍中傳爲佳話，這個女演員也沒什麼不好的地方，只是曾和電視公司鬧脾氣，被三台封殺，在報紙的影劇版上曾是大新聞，一下子沒了演出，她又沒有太多積蓄，林文明主動想幫助對方，自然缺錢，他的內弟答應拿出一百萬來，說是幫一家軍火商競標空軍一筆海岸監視機的生意，可是林文明並未參與該項計畫，弄不到資料，就提起他現在忙著『飛鷹』計畫，兩個匪諜對此也頗有興趣，就要其內弟買『飛鷹』的具體內容，一百萬現金成交。

在海軍爆發尹清楓案之後，軍方對於機密的管理很謹慎，沒想到林文明還是把資料弄了出去交給他內弟。林文明在案發後很後悔，他對國安局的人員說：

『我只想替她付房租而已。』

那個女演員住在仁愛路，一個月的房租是六萬元，林文明一個月連飛行加給的收入是六萬五千元。

女演員也被國安局約談，她說她從不知道林文明的工作情形，是林文明見她生活陷入困境，才主動說要幫她忙的，她並不知道林文明是怎麼弄來錢的，林文明告訴她，他有不少的積蓄。況且她還沒有拿到林文明說要給她的錢。錢在林文明的宿舍裡搜到，一文也不差，是一百萬元現鈔，林文明還來不及交給女演員。

兩名匪諜供稱，他們是在被捕當天上午才拿到資料的，並沒有傳回大陸，這點由林文明的內弟得到證實，他是在前一晚才把錢交給林文明並拿到資料，約好第二天上午交給對方，距國安局人員逮捕這兩名匪諜，中間只隔了一個小時。

一個小時是可以把所有資料傳眞出去的，但匪諜住處所用的傳眞機故障，他們買的是一台二手貨，那天他們才發現機器壞了。

國安局原來不是爲了『飛鷹』才釘上這兩個匪諜的，是爲了中科院的『天馬』計畫，匪諜似乎對『天馬』計畫急於到手，找了許多關係設法，這才使國安局得到情報，『天馬』是軍方最重大的飛彈開發計畫，國安局在得知兩個匪諜的身分和住處後，就決定不管是否已掌握證據的先抓人再說，免得來不及，意外的卻在匪諜住處找到『飛鷹』計畫的全部內容。

匪諜果眞沒把『飛鷹』傳出去就好，可是兩個匪諜中意志較薄弱的一人表示，林文明的內弟在告訴他們有關『飛鷹』的大致內容時，他們就先報回香港，只知道台灣要把向法國買的幻象戰機直接飛回來，實際的行動內容當時還不知道，所以沒有報回香港。

國安局把匪諜的供詞送至空總，這讓空總幾乎翻了天，當即總司令親自打電話到法國通知取消『飛鷹』計畫，按照法國傳回的行程表，應該可以在沙烏地阿拉伯攔下兩架飛鷹，沒想到晚了一步，一分鐘前飛鷹才起飛。

總部立刻做各種狀況的假想研判，劉興國是值日官，他負責通知相關人員回總部開會，海軍的運補支隊對搜索么四洞五號機尚未有任何的回報，現在『飛鷹』又出狀況，總部裡已傳出總司令要下台的謠言。空軍眞是屋漏偏逢連夜雨呀。

可能會出現的狀況是中共對於已得到的『飛鷹』內容無法證實，且無『飛鷹』執行的日期，所以暫時不會有動作。這樣兩架幻象還可以順利的飛回台灣，途中不會遇到攔截。

在樂觀的預測之外，中共知道兩名間諜已經被抓了，必會聯想到『飛鷹』，雖無法確定，但至少可以要求印度、巴基斯坦加強對周邊海域的巡邏，防止幻象通過這個地區，並且向法國提出抗議，要法方立即中止行動。

據駐法馬少將的回報，法國空軍還沒有任何動靜，他也看不出來法國空軍有中止此一行動的動作，不久前他還和法國空軍副參謀長到南部去和林志霄見面呢。

馬大個憂心忡忡的在電話裡向總司令說，現在幻象已經飛往印度洋，一個多小時後要在馬爾地夫上空進行空中加油，如果在這一個小時之內法國取消行動，兩架幻象會因沒有加油機的會合而墜海的，因爲機上的燃料經過精確的計算，是絕對無法從馬爾地夫再飛到附近任何的機場，包括飛到印度的機場也不夠。

顯然『飛鷹』的前途只有聽天由命了，早幾個小時總司令還爲林志霄在英國航空展所做的飛行表演興奮不已，現在他對幾個主管直說，『我害了他們。』總司令曾任官校的校長，林文明那時是他的學生，這使總司令更覺得對不起空軍，誰也想不到子弟兵會出賣了整個空軍。

不幸的事一宗宗的發生，林文明在國安局趁看守他的人不注意時跳樓自殺，他是從第三層往下跳的，照理還應該有救，可是他求死的意願太強，是頭部著地，送醫急救途中不治，臨死前他只說：

『我對不起空軍。』

現在所能做的除了祈禱之外，李少將奉命立即啓程到新加坡。空軍緊急向長榮航空公司租用該公司的波音七四七貨機，估計三個半小時可抵達新加坡，而預計『飛鷹』如果順利，已經到新加坡了，屆時將看實際狀況，必要時把幻象拆解裝在貨機內運回台灣。七四七的貨艙高二點五四公尺，寬三點一八公尺，可能要把幻象的機翼、垂直尾翼都拆掉才能裝得進去。爲此也特別召集一組機工人員同行，長榮也派出一組人協助。拆飛機是不得已的做法，尤其沒有法國達梭公司的人員在場，也許會毀損機身，但也是不得已之下的決定了。

李少將到了新加坡，若是『飛鷹』在飛到新加坡前就出狀況，李少將也可就近設法處理，但他也實在不知道到時候要如何處理，可是總司令都已經在擬自請處分的報告了，他也只有硬起頭皮到新加坡去。

在與新加坡軍方聯絡過後，李少將就趕往機場，臨行前他交代劉興國：

『鵬展有任何進展，立刻通知我，也和法國的馬少將保持聯絡，電話在我抽屜，幫我也釘著飛鷹。』

總統府對參謀本部大打官腔，本部自然也把官腔打到空總，一件空軍空前的壯舉，因爲洩密，竟成了空前的恥辱。

劉興國發現突然『飛鷹』和『鵬展』都落到他頭上，他沒有說什麼，只對李少將說：『是。』

林志霄，他現在會怎麼樣呢？空軍最傑出的飛行員，電視新聞上播的法國幻象戰機在英國航空展的精采表演居然就是他飛的，他能飛得到新加坡嗎？

馬爾地夫是亞洲最著名的潛水聖地，台灣觀光客每年總有幾萬人到這個小群島去，林志霄是在當地時間凌晨三點半到達馬爾地夫附近的天空，他把高度降至八千公尺等候加油機的出現，油量表上的指針已接近底部，他努力的在搜索雷達上找目標物。

這一段的航程出奇的平靜，他不但沒看見巴基斯坦或印度的戰機，連民航機也沒遇到，可是加油機早該在目的地上空等他才對。

從離開法國到此刻，他已經飛行了五個小時，出發前的睡眠不足使他嘗到了苦頭，倒不是會打瞌睡，而是他的呼吸漸漸的不順暢，在降低高度後，他打開面罩，拉掉氧氣，焦急的從抗G衣褲袋中掏出他的救命噴藥器，往口中連噴了三次。很久以前醫生就告訴他，不要太仰賴這種藥，有許多氣喘病人就是仰賴噴藥器，不停的噴，一旦藥效失靈，就會很麻煩，所以能用吃的藥，就寧可不要用噴的，但他沒辦法，他得忙著尋找加油機。

估計油量大概只能維持十多分鐘了，如果加油機在此時出現，他也只會有一次的接加油管的機會，心情使他呼吸更加急促，他拿出噴藥，又噴了兩次。

出現了，在西方大約五十公里處，出現了一個光點，是法國的C-135F空中加油機，林志霄顧不得無線電會暴露自己的位置，他馬上和加油機取得聯絡，他通知楊易帆迎上前去先加油。楊易帆的油料狀況一定比他的還糟糕，得讓他先加。

C-135F是美國波音公司的產品，美軍也使用做加油機，稱為KC-135，法國空軍有九架用在加油上，它的加油管是在機尾，可運載七萬三千多公斤的油料。

林志霄和楊易帆把幻象的速度降至三百七十公里，和加油機在相同的速度上，楊易帆緩緩把幻象接近加油機，林志霄已看到凸在機尾後方的加油管線和加油口，幻象逐漸逼近加油口，接上了，楊易帆一次就接上加油口，暗藍色的天際上，兩架飛機用一根管子連在一起是一幅有趣的畫面，林志霄已無心欣賞這種畫面，他的油表指針已停在底部，只是偶爾會顫動幾下。他打開搜索雷達的終端機，把距離設定在六十海浬，這裡距離印度很近，也是此行最危險的地區，爲了安全，他得提高警覺。沒有其他飛行體，林志霄鬆了一口氣，而楊易帆已完成加油，飛機慢慢的向下飄落，林志霄趕緊接上去，加油口就在他座艙上方，他小心的把機首迎上去，幾乎是以公分計算的接近那個形狀像是食人花的加油口，機上加油顯示儀是用電腦做計算，它可以告訴飛行員加油管相接的情況，慢慢的，ＯＫ，接上了，林志霄和加油機的飛行員通話，請求加油，他可以感覺到有東西向他的體內大量的竄入，那是比做愛還要好的感覺，他再低頭看油量表，又開始顫抖了，逐漸往上升之中。

楊易帆的聲音響起來，他用的是英文：

『Bandit, Bandit on two o'clock.』

林志霄立刻察看他的搜索雷達終端機，是兩架快速的戰鬥機正朝他而來，距離是五十二海浬，林志霄焦急的注視著油量表，終於加滿，加油口鬆開，加油機的飛行員用法文向林志霄道別，只見C-135F像黑色的大鳥式的轉身飛離。

還有二十五海浬，林志霄拉起機頭對楊易帆說：

『Let's go.』

幻象加速向東南方向駛去。

來的是印度空軍的兩架米格二十九，速度和幻象相當，在幻象加速期間，米格已經又拉近距離，對方飛行員的聲音出現在耳機中，印度飛行員用英文喊著：

『Mirage, identify yourself.』

林志霄沒理會，他對楊易帆用中文說：

『點後燃器，衝出去。』

林志霄在點後燃器的同時，也按了電戰武器的發射鈕，他把全機的熱源彈都打出去，這是法方唯一同意『飛鷹』裝載的自衛武器。熱源彈會在空中造成若干個光點，原是用來引誘響尾蛇類的追熱飛彈偏離目標的，此刻他打出熱源彈，只是爲了形成印度飛行員的困擾，用處不會很大，但至少能替他爭取個幾秒鐘。

後燃器把幻象推進雲層，救命的雲層，而且空中還開始打雷，林志霄心裡叫著，老天幫忙。閃電會紊亂雷達的電波，他和楊易帆對航向都掌握在心中，不擔心閃電的干擾，只希望閃電能干擾到米格的雷達。

米格漸漸被擺脫，林志霄不敢放慢速度，他依舊往前衝，速度早就在兩馬赫以上，飛行手冊上說幻象2000-5的最大速度是二點三馬赫，如今他已飛到二點五個馬赫，機身顫抖著，抬頭顯示器上已看不到米格，他放慢速度，抬頭顯示器也看不到另一架幻象，楊易帆呢？另一架幻象呢？林志霄從沒有這麼慌張過，他在無線電裡喊著：

『Billy, where are you? Billy, answer me.』

他是不是該回頭去找楊易帆呢？楊易帆會不會被米格釘上脫不了身？

林志霄沒有選擇，他只能繼續向前飛，剛才的那一陣衝刺，他已經飛出幾百海浬，即使楊易帆被米格攔住，他也趕不及回去了，再說他的飛機上沒有武器，衝回去又能做什麼呢？他更沒有油料，啓動後燃器使他耗掉不少可貴的油料，現在他連飛不飛得到新加坡都沒把握，再回頭，可能兩架幻象都完了。

林志霄回到巡航速度，把航向修正到正東，他可能別無選擇的要穿越蘇門答臘，否則他沒有油料繞經麻六甲海峽去新加坡。

楊易帆，楊易帆呢？

瞌睡竟然掛上林志霄的眼皮，他依稀看到楊易帆的飛機在前面，但他瞪大兩眼，抬頭顯示器上什麼也沒有。他掙扎著打開眼睛，他看到蘇菲，蘇菲在他面前哭著說，你不會再回來了。會回來，我一定會回來，我到法國來當傭兵。他走向飛機要起飛，蘇菲在他身後喊著，

『Lin, Lin.』

林志霄猛的醒轉，糟糕，這是他在飛行中第一次打瞌睡，他察看高度表，正常，他再看速度表，也正常，可是奇怪的，水平儀出了問題，顯示的是飛機正在倒著飛，他用力拍打水平儀，仍無法正常。以前他曾聽學長說過，在做大洋上的儀器飛行時，飛行員只能看儀表飛行，不能看座艙外，所以許多飛行員在幾個翻滾後會分不清自己的飛機是正的或反的，即使水平儀上顯示的是倒著飛，飛行員也都不會相信，他們覺得自己的直覺才是對的。那麼此刻是自己錯了嗎？教官對他們說過，在無法確定的時候寧可選擇信任儀器，所以他應該相信儀器，把飛機翻正過來，但林志霄做不到，他不相信飛機是反的，忽然耳邊響起英文：

『Mirage, do you hear me? answer me.』

林志霄吃驚的注視抬頭顯示器，沒有米格，是一個大型的飛機和幾架戰機在三十公里外，他竟然沒有發現這些不明飛機是什麼時候進入他的雷達裡的，是哪一國的飛機呢？印度？林志霄察看油料，完了，指針又快睡下去了，這次他躲不掉米格了。

『Mirage, do you hear me?』

是該投降呢？還是落在印度洋上，他飛偏了航道，現在他在麻六甲海峽的頂部，他連飛越蘇門答臘的機會也沒有。

耳機裡突然出現熟悉的國語：

『隊長，是我，楊易帆哪，你是不是睡著了。』

楊易帆？楊易帆沒事？

雷達上的是新加坡的空中加油機和兩架F-16，楊易帆的幻象也在加油機旁。原來楊易帆一直沒離開過林志霄，可能是林志霄座機的尾部雷達天線在雲層的閃電中被打壞了，所以他收不到機後的動態。楊易帆見飛不到新加坡，就設法和新加坡地面聯絡，沒想到新加坡的空中預警機就在蘇門答臘西面海上，就聯絡了加油機到麻六甲海峽口等幻象，楊易帆努力和林志霄聯絡，林志霄卻始終沒回答，他只有先加油，由新加坡的飛機和林志霄繼續聯絡，總算把林志霄叫醒了。楊易帆說：

『報告學長，你怎麼倒著飛？』

林志霄正為他眼前的飛機全倒著飛感到困惑，他終於明白教官說的，相信儀器是對的。

林志霄也開始加油，新加坡空軍最近才買了一架C-130H改裝的加油機，這是因為新加坡周邊沒有空域可以供戰機做訓練飛行，便以加油機把戰機帶到印度洋上操練。

楊易帆說，在擺脫了第一批的米格之後，又有一批四架的印度幻象2000-C戰機從印度東岸趕來攔截，沒想到幻象真能飛，印度飛行員可能不敢嘗試兩馬赫以上的死亡飛行，他們才脫離了糾纏。楊易帆說：

『他媽的，好險，那些印度阿三如果膽子大一點，我們也許就逃不掉了。』

新加坡的加油機向幻象道別，林志霄和楊易帆只剩下最後一段的航程，他們可以穿過馬來西亞的北方直飛南中國海，到高雄只有三千兩百公里的距離了。

林志霄定住神，他放了兩顆藥進嘴裡。

『好，我們回台灣。』

楊易帆說：

『可恨哪，如果我們只要再多那麼一點點油就可以到新加坡著陸了。』

『怎麼，你在新加坡有女朋友。』

『不是，』楊易帆說，『我想要上廁所。』

『哈哈，』林志霄大笑起來，『眞忍不住就尿在褲子好了，反正飛到台灣也乾了。』

天色早不知在什麼時候已亮得林志霄非拉起面罩不可，他看看錶，已經飛了六個多小時，現在法國是凌晨一時二十五分，新加坡則是第二天上午八時二十五分，九點以前可以回到台北，他來得及去吃老陳的燒餅油條。

幻象在空中畫出兩道白色的波紋，『飛鷹』朝南中國海飛去。

第七章　約瑟夫颱風

運補支隊向北移，太平島距道明群島只有二十海浬，南陽艦上的500MD先飛過去，它剛裝上磁氣探測器，這固然使直升機不能再掛拖曳式聲納，也不能掛魚雷，可是在這個水深不到一百公尺的淺礁區，實在也用不著反潛，最重要的是找公四洞五號機。

南沙的夜晚非常靜，連波浪聲也很小，海像是一面鏡子，令林永祥想起傳說中船隻墳場的死亡之海。推進器拍打著水面，遠處中業島上有火光，這是越南的地盤，據太平島守軍提供的資料，這裡有一個排的越軍，最大的武器是迫擊砲，射程約三至五千公尺，林永祥下令對中業島保持安全的距離航行。再往北，還有一個奈羅礁，更是不適合人居留的小礁石，不久前越南也派兵上去，修建了水泥爲基石的一個大小約十公尺見方的基地，艦上的無線電截收到越南人的聲音，大概是中業島和奈羅礁守軍的對話吧，可惜艦上沒人懂得越南話。林永祥猜想是越南守軍正為突然出現的軍艦而恐慌吧。

直升機的螺旋槳聲音傳來，賴正中正在回程中，忽然中業島上發出沈悶的迫砲聲，火光一閃，南陽艦前方約一千公尺處起了一個很大的水柱，是越南人開砲了。

南陽艦上緊張起來，兵器長李文龍下令艦砲備戰，林永祥則說，暫時觀察，不要還擊，他擔心黑夜裡只要砲手一個不小心，會把島上那幾個越南兵全轟光，而且越南人可能是在黑夜只聽到飛機的聲音又看不到飛機而起了恐慌才亂開砲吧。

砲聲再響，這次砲彈更接近南陽艦了，林永祥下令左滿舵，再避開遠一點，不料島上連機槍聲也響起，李文龍說：

『報告艦長，也給他們一點警告吧。』

林永祥搖頭，反正不論越南人怎麼打也打不到運補支隊的。

林永祥太樂觀了，一枚砲彈居然落在中興艦旁，他見情況不佳，就吩咐李文龍：

『用四〇砲朝空打幾砲。』

李文龍很興奮，他抓起對講機就下令四〇砲對中業島上空瞄準，幾秒鐘之後就聽到一陣砲聲，林永祥叫李文龍放幾砲，李文龍卻放了十多砲，中業島上空像是打了焰火似的，火光時起時落，越南人也沈靜下來。

中興艦打燈號過來，剛才那枚砲彈無巧不巧的落在中興艦的尾部的艦舵附近，把舵上的支架打彎了一節。

眞是找麻煩，中興艦萬一花太多時間修理，對執行任務就會有所耽擱。

幸好問題不嚴重，中興艦似乎在發悶氣，也朝中業島開了七、八砲，無線電裡又收到越南話，嘰哩呱啦的。

賴正中仍無所獲，老盧說乾脆上島去抓幾個越南兵問有沒有看到飛機掉落在附近。

么四洞五號機究竟會在什麼地方呢？這麼大的一架飛機不可能憑空不見而且一點痕跡也不留下。

吳本立站在船舷看著中業島上的火，他突然說：

『其實我們不用那麼怕事，這些小島原本就是我們的，一艘陽字號就可以把有的入侵者都趕走。』

林永祥走到他身旁，海又恢復得那麼寂靜，使人懷疑幾分鐘前是不是眞的發生過戰鬥，這是種奇怪的感覺，因爲整個世界雖然是在運轉之中，但無論什麼時候都可以停止下來，而且過去的事是可以立刻不視同存在的。寂靜在南海也是可怕的。林永祥的思緒跑得很遠，他說：

『每個國家都這麼認爲，都認爲這裡原本是他們的。歷史是件很奇特的東西，有時候你會因爲歷史而感到驕傲，有時候你又會覺得歷史把你壓得喘不過氣來。』

所有的人不再發出聲音，每個人都凝聽著海，如此寂靜的海，你如果專心的聽，竟會聽到你不知道那會是屬於海的聲音。

林永祥陷入複雜的情緒中，現實的，他是否還要再尋找下去？關於自己，他該不該爲了惠娟拋開一切？再遠一點，南海眞是中國人的戰爭嗎？他要站在哪一方？許多問題令他在這個南海的夜晚裡變得頹喪，當老共軍艦在中沙出現時，他的決定是對是錯呢？如果那時老共對他開火，也許就簡單了，他不會再爲歷史的問題煩惱。

南海是這麼的大，他的航向究竟是在什麼方位？沒有航向的航行是痛苦的，尤其他現在是決定航向的人。

他下令，在道明群島附近繼續搜尋。艦首開始旋轉，他要重新再找一次。

天色已有些微明，海平線的那端開始出現光亮，海上的日出永遠都是那麼的動人，渾圓的金黃太陽每次都像神話故事般的出現，他要等著日出，再試著體會神話的意境，何況此刻他也絕對睡不著了。

船轉回頭，再次進入群礁之中，他看到中業島上竟冒著黑煙，是中興艦上的砲打到了島上的目標？他拿過望遠鏡，幾個越南士兵打著赤膊在挑海水去灌澆一個起火的帳篷，不知有沒有傷亡，也許不久總部的責罵就要在電報裡傳來了。

賴正中疲憊的站在他身後，林永祥叫他去休息，他卻說：

『報告艦長，我再去飛一趟，天亮了，視界會比較好。』

林永祥點點頭，他教賴正中躲著越南人的島飛，誰也不知道越南人會做什麼。

船向北移動，林永祥看到菲律賓的國旗，是南子礁和北子礁，島上穿著草綠軍服的菲律賓守軍正向船揮著步槍，似乎是在趕艦隊走，賴正中的飛機飛得很低，是貼著水飛，螺旋槳把海水打到空中，海上出現層次分明的白沫狀漩渦，林永祥在望遠鏡裡找不到軍機的殘留物，可能是潮水把軍機的殘骸沖走了。他叫領航士把海圖拿來，他仔細的研究，只有一個可能，么四洞五如果在海上留下什麼也會被沖到東面去，那是南海航道上的危險區，水淺且暗礁叢生，尖底的軍艦更不適合進入那個水域，此刻他似乎得冒險一試了。

他指揮南陽艦往東方走，並且通知中興艦緊跟在南陽艦的後面，不要偏離，航速則降至三節。

進入這個地區只有一個方法，不斷的朝海底打聲納，只要深度不夠，得立刻回航或轉向，他是把艦隊帶進沒有應戰能力的陷阱之中，但他沒有選擇。

船有如在海面上輕輕的滑行，以非常慢的速度滑進暗礁區，聲納士不停的回報深度，中興艦搖晃的跟在後面，像是一個踩在稻田裡穿著西裝的台北人。

很快的林永祥看到幾個小礁，這是菲律賓所稱的卡拉揚群島，連南子和北子礁，一共有九個，都是菲律賓宣稱的領土，艦隊原不該進入這個地區的，但林永祥爲了任務非進去不可了。這裡距菲律賓的巴拉望島很近，只有幾百公里，但菲律賓的空軍等於是零，林永祥不擔心菲律賓會派飛機來威脅他，他要注意的是腳底下。

深度正逐漸減少，已經在五十公尺以內了。老陽字號在武進計畫的改良後，艦上新增了許多武器和設備，吃水較以前深，他得格外當心。

就在林永祥和他所率的運補支隊陷入菲律賓九個島礁之間搜尋失蹤的台灣空軍軍機時，菲律賓的兩艘登陸艦終於對美濟礁的中共設施動手了。

美濟礁離林永祥艦隊所在的位置相隔僅三十公里，中共原在礁石上建有水泥混凝土的基地，約駐有三十多名陸戰隊隊員，也裝置有若干的機砲，在西沙中越海戰爆發之後，中共把原在礁旁的兩艘運輸艦調回，至今未曾再派出艦艇至這個島礁協防，菲律賓亦早就揚言不惜任何代價要拆除中共的設施。這天上午，菲律賓的登陸艦突然出現在美濟礁旁，派出部隊登上該島，中共人員並未抵抗，任由菲律賓把島上的所有建築物拆掉。菲國海軍在拆了設施後也未停留的撤走。

中共方面對菲律賓的做法表達嚴重的抗議，菲律賓則指中共侵其領土，該國海軍只是做護疆的工作而已，並說已把中共在島上的人員接運回菲律賓，即將遣返出境。

國際間對這宗衝突均表遺憾，分析家認爲，這是因爲菲律賓大選在即，而過去發生的菲律賓女傭被新加坡政府判處死刑一事，在菲國引起民間普遍的不滿，美濟礁事件又再發生，爲了贏得選舉，該國執政黨才會冒著捲入南海戰爭的險，未經宣告的即拆除中共在美濟礁的建築，而菲國上萬人民在馬尼拉街頭遊行，慶祝這一勝利。

如預期中的，中共一個艦隊終於從西沙轉向南沙，美國海軍的艦隊也駛進中沙附近的海域。而已轉變超級強烈颱風的約瑟夫，中心位置已前進至菲律賓南方七十公里處，如果方向不變，預料在一天之內會掃過菲國南部的巴拉望島，進入南海。

大直的海軍總部在菲律賓拆除美濟礁上中共設施後不久，終於決定召回運補支隊，這個決定是參謀本部直接下達的，因爲南沙局勢變得超過原來預期的程度，尤其美國方面希望台灣退出，使局勢單純也是主要理由之一。

林永祥收到全速返航的電報，他正要通知賴正中回航，不料賴正中的聲音出現在通話器中，他的飛機是在距巴拉望島西方三百公里的馬歡島旁，他發現么四洞五的殘骸，卡在一塊大形礁石中，在海平面下約二十公尺處，因此很不容易發現，他的推斷是飛機在落海後被洋流沖走，到了這塊礁石才被卡住。

林永祥立刻下令往馬歡島前進，他想在返航之前把么四洞五號機的殘骸打撈起來。

航行了約半個小時，艦隊就抵達馬歡島附近，這是一個在漲潮時只剩下約三公尺見方的小礁石，上面沒有駐人，是菲律賓所主張的國土。中興艦上放下小艇至五百MD所指的礁石去尋找軍機，不久就傳回消息，沒錯，是草綠迷彩的軍機，只剩下機首部份，是C-130H，從水面上往下看，可以依稀看到駕駛艙內的屍體。中興艦隨即冒險向那塊礁石靠近，以便進行打撈。

林永祥對么四洞五的殘骸很納悶，只剩下機首部份，其他的部份則都不在附近，那麼么四洞五眞的是因爲在機身中央部份發生嚴重的爆炸而失事的？一般的對空飛彈都是追熱導向的，打的是飛機的發動機，C-130H的發動機在機翼上，那麼會不會是飛彈擊中了么四洞五的機翼，把飛機打成兩截，才留下這個相當完整的機首殘骸的呢？

賴正中的飛機返回南陽艦，林永祥在甲板上迎接他，領著賴正中到官廳，林永祥對伙伕長說：

『MISO還有吧，另外弄塊牛排來，我們有個需要好好補補的年輕人。』

接下來是劉金虎的工作，劉金虎也表示打撈工作並不困難，一個小時足夠了。

就在林永祥喝他第二杯咖啡時，艦上傳出警訊聲。林永祥的第一個直覺是，菲律賓海軍來了，沒想到不是船艦，南陽艦的對空雷達上發現一架飛機正快速的接近之中。林永祥下令備戰，中興艦也旋轉起砲塔，所有的砲口都指向北方的天空。

『來了，』兵器長李文龍大喊：

『不對，是美國的飛機。』

林永祥抓起望遠鏡，沒錯，是灰色的美國軍機，它從艦隊上空筆直的飛去，隨即又轉回來，並且降低高度，幾乎就快碰到南陽艦桅桿的頂端處。

那是一架美國海軍的S-3A維金式固定機翼反潛機，難道美國海軍艦隊已到了南沙？

艦首甲板上幾個士兵正朝飛機揮手，維金式沒有回應的飛走，但馬上又飛回來。

維金式正嘗試和南陽艦通話，艦上的無線電通話器響起沙沙的聲音，是老美的聲音，他喊著叫南陽艦退出這個地區，他說美國艦隊要在這個地區進行實彈演習，所有船隻要立刻離去。

李文龍罵起來：

『他媽的，什麼東西，這裡又不是美國的領土，演你媽個頭的習。』

林永祥不打算做回應，他不能告訴美國人他在打撈飛機。沒想到維金式再飛回來時，竟在南陽艦前方一百多公尺處射出一排火箭，海水成串的竄至空中。七六砲快速的轉動，林永祥大吼：

『不准動手，所有砲手維持備戰位置。』

七六砲砲手剛才的動作是很危險的，如果美國軍機發現砲的轉動，會判定南陽艦有攻擊它的意圖，說不定會先動手，而維金式雖然很老，可是機翼下明顯的可看到魚叉反艦飛彈，在這種距離內，魚叉不可能會有失誤的。

美軍的警告聲再次響起，林永祥叫吳本立和美國飛行員溝通，表明艦上有人落水，正在搜救之中，同時他也覺得這不是他能決定的事了，他立即拍電報回艦令部請示，好不容易才找到么四洞五號機，現在能撤退嗎？豈不全功盡棄。

艦令的回覆非常快，內容也很簡單：放棄鵬展，即刻返航回台灣。

就在幾分鐘前，海軍總部收到通知，美國已告知南沙周邊國家，美國艦隊將在這個海域進行演習，要求各國船隻立刻撤離。

美國的這種要求當然是有些過分，因爲南海是國際海域，不是美國的領海，美國是無權做此要求的，但美國此舉顯然是爲了將南海的緊張局勢降溫，免得中越或中菲發生海上的大規模衝突。

林永祥別無其他選擇，他通知劉金虎放棄打撈準備返航，劉金虎的叫罵聲傳來：

『管什麼美國人，我才要準備撈飛機，老天，裡面還有我們的飛行員啊。』

強制撤退，南陽艦利用公用頻道對中興艦傳達撤出這個區域的命令，原是希望美機能了解艦隊已要離去，不料維金式竟又打出一排火箭。

李文龍也罵起來：

『把他幹下來，回去我吃軍法。』

林永祥壓制情緒的說：

『兵器長，下令解除戰備，通知輪機長，以全速向北駛離。』

艦內沈寂下來，不再有人說話，南陽艦和中興艦緩緩掉轉艦頭朝北駛去，而維金式仍未離去，不停的像示威似的飛越艦隊的頭頂。

颱風在突然之間又加速的向南海襲來，雲朵比船還快的朝西方竄去，海面上的風浪也逐漸增大，林永祥仔細的聽著所接到的菲律賓氣象報導，目前風力已達七級，運補支隊必須儘快的北移，雖然陽字號和中字號還能挺得住這種風浪，但能躲開就沒有必要去碰。林永祥下令艦隊全速向北行駛，不必理會維金式的挑釁。沒多久維金式就消失了，可能是油料用光了吧。

李少將率領的長榮航空波音七四七貨機在當地時間上午八時十五分趕到新加坡，他怎麼也沒想到，新加坡方面的態度十分曖昧，原來和他接頭的該國空軍後勤部，只派了一個上尉在機場等他，所傳達的消息竟是，『飛鷹』已在十分鐘前未在新加坡落地的直飛台灣。

那名上尉是馬來人，他用英文告訴李少將，因為兩架幻象在飛抵新加坡前就有油料用罄的危機，新加坡空軍只有派出一架空中加油機在麻六甲海峽口等待這兩架戰機，在完成加油任務後，台灣的幻象就未停留的直飛台灣了。

台北代表處的武官是空軍的畢上校，他是臨時才被通知和新加坡空軍聯絡，了解『飛鷹』的狀況，他很氣憤的向李少將報告：

『新加坡軍方裡有朋友告訴我，林志霄他們在印度南方進行空中加油時就被印度空軍釘上，新加坡認爲飛鷹有消息外洩的可能，他們擔心飛鷹在新加坡降落的事情瞞不住老共，怕老共找他們麻煩，就在空中幫飛鷹加油，加完油飛鷹只好直飛台灣了。』

李少將沒說話，他想新加坡這麼做也無可厚非，飛鷹如果眞的洩密，新加坡怕老共出來抗議而不願意讓飛鷹落地也是情有可原的，畢竟新加坡和中共有正式的外交關係。

畢上校說：

『不過飛鷹的油量撐不到新加坡也是事實，據說爲了閃躲印度的米格二十九，飛鷹啓動了後燃器做高速的飛行，至於印度是否知悉那兩架幻象是我們的，就不知道了。』

既然事已至此，李少將覺得沒必要把事件擴大，反使『飛鷹』更加引起注意，他和長榮地面人員商量後，長榮同意把七四七貨機在新加坡裝原預定由一架下午二時才起飛客機的貨，先飛回台灣去，省得這架貨機待在新加坡無意義。

都已經來到新加坡，李少將決定還是先了解『飛鷹』的情況，畢上校和美國大使館的空軍武官是高爾夫的球伴，他即打電話詢問美國大使館方面有無異常的消息，對方告訴他，美國已經知道了，當幻象從沙烏地阿拉伯飛至印度洋時，美國的衛星就發現這兩架飛機的飛行不很尋常，立刻展開追蹤，到印度空軍出動戰機攔截時，美國即已判定那兩架幻象是台灣的，但對方也告訴他，印度方面可能不知情，因爲從該國軍機的攔截動作來看，並無事先已佈置好的跡象。

李少將的心情轉輕鬆了點，不過他還是要畢上校幫他安排在最短時間內與新加坡空軍的陳少將見面，他迫切的要知道兩架幻象在和新加坡空軍接上頭時，飛機和機員的狀況究竟如何。

陳少將原來不願出面，最後在李少將親自打電話後，才極勉強的同意於三十分鐘後在市區史坦佛道的卡頓酒店和李少將吃早飯，陳少將在電話裡說：

『李將軍，你來我是絕對的歡迎，可是請你諒解，中國的解放軍軍樂隊正在我們這裡表演，而且我們很擔心你們抓到的兩個間諜把消息洩漏回中國，我們就會有麻煩了。』

對於新加坡方面的苦處，李少將表示很了解，他在早餐後就會坐第一班的新航班機回台灣的，不會久留。

在卡頓酒店餐廳的貴賓室裡，兩個少將見了面，李少將得到的消息使他對『飛鷹』非常的擔心。

據新加坡空中預警機的報告，兩架幻象是以兩個馬赫以上的速度飛至蘇門答臘西面的印度洋，當時有四架印度的軍機緊追在後，見到新加坡在當地海上進行演練的F-16戰機後才退走，可能印度空軍會認爲這兩架幻象是新國空軍所屬的。印度戰機和新國戰機通過話，新方估計，印度的戰機應該也沒有油了。

兩架幻象中的第一架狀況尚好，是它和新加坡預警機做聯絡的，幻象顯然是想穿過蘇門答臘飛往新加坡，印尼空軍的地面雷達站也發現了幻象，所以新國空軍決定不讓幻象飛經蘇門答臘，以免再出不可預料的狀況。

第二架幻象完全偏離航道，而是在接近蘇門答臘時，忽然轉而向北，有飛進泰國的可能，預警機和第一架幻象試圖和第二架幻象聯絡，但都無人回答，當時一度判定飛行員已休克或發生急病，因爲無線電不像是故障的樣子。新國曾派出F-16在麻六甲海峽的入口處準備攔截幻象，幸好在雙方接近時，幻象的飛行員有了回音。

『我們空軍的報告是，他們看到第二架幻象時，那架飛機是倒著飛的。』新加坡的陳少將笑著說：『好像你們的飛行員對特技飛行有偏好。』

陳少將表示，既然兩架幻象的油量都不足以飛至新加坡落地再加油，就由空中加油機爲幻象加油，這自然就沒有必要再要幻象降落在新加坡了。

李少將頻頻致謝，吃完早餐後，他向陳少將告別，便由畢上校送到機場，準備搭機返台，在車上李少將自言自語的說：

『是楊易帆撐不住了嗎？在大洋上他們應該知道要信任儀器，怎麼會倒飛而沒察覺出來呢？』

從新加坡到台灣，航程大約只有三千公里，以幻象的速度，最多一個小時二十分鐘即可抵達，問題不會很大，可是中共的蘇愷戰機已駐西沙的永興島，加上中越共的開火和美國艦隊的航進南海，使『飛鷹』最後的一段航程也充滿變數，尤其『飛鷹』的航道可能避不開西沙。

李少將對正在開車的畢上校說：

『你馬上發個電報回去，把幻象的狀況報告上去，另外建議總部立刻在東沙做準備，以防幻象的油量不足，要在東沙降落加油。』

畢上校怔了怔說：

『可是東沙的跑道夠長嗎？』

東沙的跑道是爲C-130H起降所設計的，C-130H起飛所需的跑道長度約五百二十公尺，降落則要八百二十公尺以上，而幻象2000-5的離陸所需用來助跑的跑道是四百五十公尺，因此跑道長度是綽綽有餘的，再說幻象點上後燃器，是可以縮短所需的升空時助跑跑道的。

令李少將擔心的是萬一幻象在長程飛行後要做比較複雜的保養，只怕東沙島上沒有技術人員。台灣曾派出兩批人員到法國接受幻象戰機的維修保養訓練，第一批已經回到台灣，總部會把他們派到東沙去等候幻象嗎？
沒想到『飛鷹』的最後一段旅程竟是最不可測的，因爲台灣方面完全掌控不住『飛鷹』的航道和位置。
畢上校曾經是總司令任清泉岡聯隊長時的部屬，在登機前李少將對畢上校說：
『空軍這幾天出了很多事，你聽說匪諜案了吧，總司令已經寫了自請處分的報告，可能會送到總統府去，你在新加坡要努力，尤其是美國艦隊在南海的消息。』
畢上校也表情嚴肅的點頭，他說：
『我了解，下午我要和美國的武官打高爾夫，我會想辦法套些消息回去的。』
因爲臨時登機，這班飛機又客滿，李少將被安排在最後一排的A座，那是個靠窗的位置，他可以在回台灣的途中經過南海，他要好好看看那片蔚藍的海，但約瑟夫颱風會不會使他沒有機會看南海呢？空中小姐對他說：
『先生放心，如果颱風太強烈，不能飛，我們會在安全的地方先降落的。』
李少將對空中小姐笑笑說：

『麻煩你，快到南海的時候叫醒我。』

他便閉上眼設法讓自己放鬆的睡去。

天氣在短短的時間便起了巨大的變化，海面上的風浪把南陽艦像玩具似的拋上擲下，林永祥看著艦尾不遠處的中興艦，劉金虎這下子慘了，他的暈船毛病只怕非復發不可。

航務長朱火貢守著駕駛台，他不停的向林永祥報告風速，如今已高達九級了，照理在這種天候下無戰鬥任務的艦隻是不出港的，現在是戰鬥任務，而且林永祥也無港可退，距艦隊最近的港是在菲律賓的呂宋島，他總不能把艦隊拉到菲律賓去吧。過去林永祥遇到最大的風浪是十七級，他相信艦隊挺得過這種惡劣的海象。

林永祥的主意是儘快駛近中沙，那可以避開暴風圈，可是艦隊的速度比不上颱風，尤其中興艦不久前才打燈號來，推進器的老毛病又發生了，正在全力搶修，此時航速已落到七節，以這個速度，要逃出暴風圈的機會不大，林永祥只能希望颱風轉向偏南，若是直撲西北方，他是怎麼也逃不出去的。

他叫朱火貢通知舵房和中興艦，拉近兩艦的距離至一千碼，同時減速至七節。

最新的消息傳來，美國艦隊航向不改，仍往南沙而來，目前的位置是北緯十六度、東經一百一十五度，也就是中沙的東側。南陽艦上的雷達探測不了這麼遠，不知那兩艘江衛級巡防艦是否還躲在中沙的礁石後面，它們會對美軍艦隊採取什麼動作呢？

風力不斷的增強，林永祥回到艦長室，他擔心在這種天氣裡，只么四洞五的殘骸會被浪再捲走，誰也不知會飄到哪裡，再找就麻煩了，他決定要拍一通電報把么四洞五的位置送回艦隊部去，因爲上面到現在爲止可能還在爲么四洞五的存在與否擔心，至少可以把消息傳回去，讓空軍知道無救了，空軍也可以設法對軍機上人員的家屬做慰問。當軍人的眷屬是可憐的，惠娟說的也沒錯，他出門以後，直到回到家，惠娟才能確定他安然無恙，剛才如果是和美國飛機別上苗頭，或是美國飛機的火箭射偏了點，他也會和那幾個空軍飛行員一樣，連屍體也回不了家，那惠娟會怎麼辦呢？

電報內容很簡單：

『發現么四洞五，馬歡島旁，無生還，已放棄行動返台。』

他叫傳令兵把電報送到駕駛台用密碼發出去，這麼簡單的內容，空軍要去慰問遺屬，眞不知要如何說明殉難的原因吧，但他也無法多說了。

就在這麼短的期間，風浪已到達十六級，浪都打到了駕駛台上，官兵早奉命把自己綁在砲塔的位置上。

林永祥穿上雨衣，才走出去，雨水便灌澆過來，浪起浪落的差距恐有二、三十公尺。他進了駕駛台，只見艦頭正往海裡鑽，浪是排山倒海的朝駕駛台撲來。

公用頻道上傳來呼叫聲，是英文，美國艦隊的呼叫，要求南陽艦把位置報過去。林永祥立刻叫通訊士照美軍要求去做，不久美軍又喊起來，要南陽艦和中興艦變更航向，朝東方靠過去，因爲美艦將會通過南陽艦的航道，在颱風天裡和美國艦隊在南海碰頭是很危險的，只要控制不好，很可能會兩船相撞，因此林永祥下令轉向東北東，並且把新的航向通知美軍艦隊。

雷達上出現目標，是美軍艦隊，只是沒想到美艦來得這麼快，照理美國艦隊在兩個小時前不是還在中沙嗎？莫非情報有錯誤？

風浪再達十九級，他已經被風雨阻隔得看不到一千碼外的中興艦，但雷達幕上中興艦是在他的右後方約八百碼左右而已。

南陽艦努力的改變航向至東北東，可是中興艦沒變，林永祥緊張起來，他叫信號再打出燈號，不過這時燈號只怕不管用。林永祥決定用公用頻道喊中興艦。

劉金虎似乎沒有暈船，他也在駕駛台，他對林永祥說他改不了航向了，因爲他的船舵出了毛病，根本動不了，就更別說是轉向，加上推進器故障，他現在能維持航向和五節的速度就不錯了。

林永祥慌了，中興艦如果故障，不能變更航向，南陽艦也只有陪著，那會直接和美國艦隊對上的。他決定通知美國艦隊，通訊士把狀況傳出去，這兩艘台灣的軍艦發生故障，不能改變航向。沒想到老美的回答很硬，要南陽艦立刻轉向不可。林永祥把中興艦的實際狀況再次向美軍做說明，回答依然，要台灣艦隊即刻讓出航道。林永祥傻眼了，他進退失據，朱火貢也罵，認爲美軍太霸道了。罵沒有用，運補艦隊卡在颱風和美軍艦隊之間，林永祥必須要想出方法。這種天候他不能拋纜拖中興號，更不能用艦首把中興艦頂出航道。劉金虎又喊起來，他的整個推進系統都完了，航速落到了三節，一分鐘前的一個大浪把中興艦推到至少三十公尺的高處，落下的時候中興艦失去了它的舵，它現在連起碼的方向也控制不住。

林永祥立刻下令再縮短和中興艦的距離，設法拉近到七百碼，並且再通知美軍，他的另一艘軍艦故障了，希望美軍能提供協助，沒想到美軍的回答依然是要他立刻退出航道。

王八蛋，他媽的王八蛋，林永祥決定不再理會美艦的反應，他不能在這個時候把中興艦扔在十九級的風浪裡，萬一中興艦有什麼，他怎麼有臉回台灣，更別提什麼到美國去念書了。

風浪不斷的把海水和雨水捲進艦裡，抽水幫浦也在老盧領著兵的拚命下，奮力的將水抽出去。老陽字號在多次的整修、更新武器之後，所承受的重量已增加了許多，這固然得損失部份速度，陽字號卻可繼續在海上奔馳，但艦體和其中的大多數零件是不能更新的，艦上的管線更因老舊而潛在著不可預期的毛病，在風浪之中，南陽艦上陸續出現若干的問題，有一扇艙門便無法密閉，這使風浪捲進來的海水經常掃進船艙內，老盧正領著人整修那扇門。中興艦已經沒有了舵，南陽艦不能再出狀況，林永祥也得把美國艦隊的事暫時擱在一邊，他要援助中興艦，也得留意自己的南陽艦。

艦外是風聲浪聲，艦內是各級單位的呼喊聲，要人支援的、要工具的，伙伕長的一大鍋MISO全傾進了海水裡，他乾脆不管MISO，也加入堵水的行列。賴正中在機庫，他原以為500MD綑綁夠緊了，沒想到在機庫內竟然也不時和艙壁發生摩擦，他只有招呼著幾個機工再為直升機做安全工作，把他能找到的棉被全用在機身上。

這是賴正中第一次隨艦出海，從出港後沒多久就暈船，他寧可飛在空中也不願意回到艦上，此刻卻沒想到，在如此大的風浪裡，他反而不暈了，是一個機工提醒他的：

『賴上尉，你不暈船了啊？』

他竟然不暈了，他莫名其妙的不再暈船，他終於可以成為眞正的海軍。

林永祥動也不動的坐在駕駛台的艦長座上，這是整個駕駛台裡唯一的一張椅子，其他人都是站著工作，讓艦長坐的理由就是要艦長無時無刻的思考。林永祥全神貫注的盯著雷達幕，美國艦隊一共是十艘船，有兩艘在前方，是前導艦，距南陽艦只剩下十海浬。他要通訊士不停的和中興艦聯絡，目的就是讓美艦知道，不是他不讓出航道，而是中興艦沒法子控制航向，但美國艦隊對此絲毫不在意，不時的用強烈的命令口氣要南陽艦離開，甚至連滾開的字眼都用出來。林永祥在考慮他是否該單獨的轉向，必要時他仍得強迫自己扔下中興艦，至少他得保住南陽艦。海這麼大，平常在南海不容易看到其他船，現在居然所有的船都集中到這裡來。

美艦之外，他還得留意中興艦，因爲風浪把它打得在海上飄流不定，有一陣子距南陽艦只有三百碼，他得和中興艦保持相當的距離，否則兩艦撞在一起就慘了。

一個大浪襲來，有人喊著，『糟糕，中興艦又來了。』

中興艦竟無聲無息的逼近到南陽艦一百碼的地方來，林永祥正要下令左滿舵，他看到他和美艦的距離只有兩海浬，雷達上兩個光點就在他船的正前方，左滿舵可能會正好迎面撞上去。幸好又是幾個大浪，中興艦被甩到後方五百碼處去，林永祥才喘過氣，又有人大喊：『船來了。』

一個尖型的巨山突破波浪竟就出現在林永祥的眼前，是美艦，林永祥大叫：

『右滿舵，雙車進二。』

南陽艦的艦首輕巧的衝破海浪在美艦右側滑了出去，美國軍艦像山般的高，這應該是一艘巡洋艦，林永祥又大吼：『左滿舵。』因爲又一艘美艦出現在他面前，南陽艦就在兩艘美艦之間做了一個S形的前進，避開了衝撞。

不知什麼時候，船的右前方五十碼處再冒出一艘艦，是中興艦，而中興艦的右側是一個巨浪，不，一艘更高更大的軍艦，是航空母艦。航艦離中興艦還有一段距離，可是它所掀起的巨浪竟猛的把中興艦吞噬進去，中興艦不見了，中興艦不見了，當南陽艦從浪頭頂端落下時，竟找不到中興艦，雷達上呢，雷達上的中興艦呢？

林永祥再也坐不住，他衝到玻璃前，看到了，是中興艦，可是它在海中呈四十度的傾斜，劉金虎的聲音出現在公用頻道：

『永祥，老子的船掛了，他媽的我躲不掉航空母艦，它的浪把我的船打歪，海水全進來，我已經連一點速度也沒有。』

林永祥抓過通話器也喊回去：

『金虎，撐不撐得住，撐不住就棄船，我把所有的探照燈都打開幫你照路。』

通話斷了，不論林永祥怎麼喊也沒有劉金虎的回答。林永祥轉向美軍求救，他通知美艦，中興艦已經傾斜，希望美方能協助救援，可是也沒有回音，他看見巨大的航空母艦像是海上的怪獸，在風浪裡若隱若現。

中興艦打出棄艦的燈號，副長和兵器長已率了十多個官兵把身子全綁著繩子的衝到甲板上打起所有的燈光。林永祥看到中興艦似乎正在放下小艇，他下令給朱火貢，盡量把南陽艦靠近中興艦。兵器長李文龍已經放下一艘皮筏，和兩個兵跳進皮筏，他們用一根粗大的繩子把皮筏和南陽艦連接在一起，然後努力的朝中興艦划去。林永祥想把李文龍叫回來，可是已經來不及。

『報告艦長，』朱火貢擦著臉上的汗水，『我們不能再接近了，否則會有撞上的危險。』

『不，再接近一點。』林永祥說。

他看不清中興艦上放下多少救生艇，也不知道是不是有人落海，他所能做的就是把軍艦靠上去，在這種大風浪裡，他必須縮短中興艦上救生艇的滯留海上時間。

又是一個大浪打來，有人驚叫，一條繩子脫落了，林永祥看著兩個士兵滑進海裡，他吼著：

『拉緊每一條繩子。』

許多士兵衝出來，他們一個人拉一個人的把綁在船舷上的繩子拉住。

浪頭把南陽艦再抬至幾十公尺的高空，兩艘小艇也冒出在浪頭上，副長領著人在艦首轉動絞盤，『來了，快拉上來。』救出了一艘小艇，是中興艦上的陸戰隊士兵，他們是回台灣退伍的。副長點著人數，『十五個，是不是全上來了？』

林永祥又看到一艘小艇，他們沒有接到李文龍擲出去的繩子，在一個大浪裡就消失了蹤影。

中興艦呢？怎麼看不見中興艦了？

劉金虎的聲音終於又回到駕駛台裡：

『永祥，永祥，我挺不住了，幫我救我的弟兄……』

『金虎，你也快走，金虎。』

沒有聲音了，朱火貢指著前方叫：

『中興艦，是它。』

是中興艦，艦身幾乎傾斜成四十五度，浪頭再把林永祥推起，他看到中興艦就在他的脚下，一個劇烈的衝擊，每一個人都能聽到艦底的金屬撞擊聲，南陽艦撞上了中興艦的桅桿，林永祥抓緊座椅的手把，他感到昏眩，忍不住的一口吐出來。

船在重擊後重新落在水面，沒有人能再找得到中興艦，剩下的只是一波接一波而來的浪頭，朱火貢頭上留的不僅是汗水，還有血，他撞上駕駛台前的玻璃，就躺在地板上，兩個士兵想上去抓住他，卻沒有來得及，朱火貢的身體再次被扔到玻璃上，血漬印了上去，窗外的的海浪搶著血，用力的敲擊過來，但血漬卻沈靜的向四周不規則的流動。

又看到一艘小艇，李文龍的船逐漸的接近過去，兩艘船都消失在浪頭裡，隔了好久，有呼喊聲，兩艘小艇連在一起，副長仍在波浪的衝擊下彎身推動著絞盤。

林永祥冷靜下來，他救不了金虎，他還有其他的人要照顧。吳本立渾身是水的闖進來，他抓著柱子抱住朱火貢，兩個兵挪過身上，一起抱住朱火貢，吳本立站起來撲向値更的位置。

醫官也衝進來，他只穿著一件短褲頭，左肩膀有一邊十多公分的傷口，血仍冒著。他捧著朱火貢的頭，林永祥則把目光擲回前方，他對著浪頭嘶喊：

『雙車進三。』

吳本立對著通話器也複誦著：

『雙車進三。』

『又有船來了。』

雷達幕上顯示的是另一艘大船朝南陽艦而來，風雨打在玻璃上，林永祥注意著各單位的回報消息，他也從雨和浪的空隙裡往外看，一個黑色的三角形艦首出現在他眼前，他再喊：

『左滿舵，左滿舵。』

左滿舵的喊聲裡，舵房裡的聲音回傳過來：

『舵房進水，船破了，船破了。』

林永祥對通訊士說：

『繼續向美艦求救，他媽的，也只有他們了。』

沒有任何回音，突然船身猛地顫動，林永祥幾乎被拋出去，不知什麼時候艦首前又出現一艘巨艦，林永祥什麼也看不到，只有黑色的一堵牆擋在他眼前。艦身像要解體般的不停的抖動，通訊士叫著：

『老美在叫我們。』

林永祥戴上耳機，是對面的美艦喊著他，南陽艦的艦首撞上對方的軍艦，整個艦首都嵌了進去，南陽艦竟和美艦纏在一起，美艦上的人喊著，叫南陽艦立刻棄船，因爲美艦打算向左靠，用它的艦首撞南陽艦，把南陽艦撞開。在颱風裡兩艦糾纏在一起是非常危險的，可是怎麼棄船呢？

一個風浪捲過去，海面突然平穩下來，林永祥可以看到自己的艦首已撞成扁形的黏在美艦艦身上，他立刻向美艦提出讓他船員登上美艦的要求，對方喊著：

『No way, you just jump, jump, you have no choice.』

吳本立看著林永祥說：

『報告艦長，我們怎麼辦？』

林永祥再看著下前方的美艦，他冷靜的說：

『雙車停，帶人爬上美國軍艦。』

吳本立對舵房下令停車，然後他向林永祥行個禮便往外衝。

有人攀爬到艦首，把掛著鐵鉤的繩索往上扔，此時兩艦仍黏在一起，那個士兵幾乎就是站在美艦的艦壁旁，他把繩索鉤上了，後面有幾個士兵橫掛著步槍衝上去抓住繩子，一個個快速的往上攀，林永祥看到吳本立也抓上繩子，接著是副長周文傑、兵器長李文龍，還有穿著綠背心的士兵，是陸戰隊員，他們不是在中興艦上嗎？

美國人又吼叫起來：

『This is the last notice, abandon your ship. You have three minutes, go jump.』

也許是颱風眼正通過這個地區，風浪逐漸平靜下來，林永祥對駕駛台裡所有的人說：

『全部撤離。』

艦首現在有三條繩子，許多人縮著身子往上爬，老盧衝進來：

『艦長，走啦，你要趕快上去，你才會說英文哪。』

老盧提醒了林永祥，美國人會不會同意他們這種強迫登艦的方式呢？他要趕快上去和老美溝通。

林永祥也走到艦首甲板，七六砲的砲管都被撞彎了，士兵都蹲在地上聽老盧的指揮，醫官也正忙著把朱火貢綁上繩子，賴正中叫著：

『艦長，我陪你上去。』

林永祥不再猶豫，他走上去抓住繩子便往上爬，美艦的艦壁很滑，他幾乎踩不住，上面有人拉，是李文龍，他把林永祥拉上艦舷，已經有三四十個人上來，包括十多個陸戰隊員，他們貼著舷蹲在地上，但林永祥沒看到一個美國人，他叫副長馬上把其他人全拉上來，自己則朝艦首走去，吳本立帶著七八個手持六五步槍的陸戰隊員跟在他身後。

突然一陣劇烈的撞擊，是美艦艦首斜著撞上了南陽艦的艦尾，有好多士兵跌落到海裡，南陽艦脫離了美艦，有人還吊在繩子上，林永祥看到副長沒抓住繩子的掉進波浪中。林永祥感到他的肚子充滿高溫的氣體，他快爆炸，他會炸成一片片的飄回大海去。

這是美艦的左舷，走到指揮中心的前艦橋處，是一扇鐵門，一個士兵用槍撥開門，吳本立先進去，林永祥跟在後面，接著是旋梯，梯前有幾個美國水兵好奇的看著他們，有一個想叫，陸戰隊上前把槍口就對著老美的嘴巴。

爬上旋梯，林永祥跟著陸戰隊走進一間偌大的房間，是美艦的戰情中心，裡面全是電腦和儀表，林永祥以前參觀過美艦，但他沒見過這麼大的戰情中心，房內所有的人都張著嘴吃驚的看著林永祥，一個掛著中校階級的中年老美突然喊著：

『Fuck, pirates.』

林永祥擠出微笑的上前問那個中校：

『Are you the captain?』

中校身旁的一個上尉突然衝出來，拳頭就朝林永祥的臉擊下去，林永祥覺得臉頰有點火辣，他聽到有槍聲，他忍著淚伸出手制止開槍向美軍提出警告的陸戰隊士兵。

美國中校朝前走了一步，高傲的說：

『I am.』

林永祥上去和他握手，然後他就感到昏眩的倒在地上，他依稀聽到吳本立的聲音，吳本立大聲吼叫：

『Don't move.醫官呢？』

第八章　佔領龐克希爾號

林永祥走在紐約的街頭，紐約竟眞的像是伍迪艾倫電影裡的模樣，天空是暗褐色的，街上的人都穿著大衣低頭快步的行走，惠娟也穿著大衣夾在人群裡，林永祥叫她，她卻沒回頭，反而越走越快，林永祥追上去，可是所有的人都向著他走來，他被人群往後推，他穿不過去。

在驚慌之中醒過來，林永祥睜開眼，他第一眼看到是掛在牆上的美國星條旗，這馬上把他抓回到現實裡，這是美國的軍艦，是編號CG-52的龐克希爾號，星條旗下方是一塊木質的艦名牌，CG-52 BUNKER HILL，是提康迪羅加級巡洋艦的第六號艦，也就是神盾級巡洋艦中第一艘改裝Mk41型飛彈垂直發射系統的防空戰艦。一艘船只有一塊艦名牌，這是什麼地方，爲何有艦名牌和星條旗？

林永祥頓時想坐起身，才感覺到腿部的疼痛，他是到美艦上來找對方艦長談收容的，南陽艦挺不住龐克希爾號的碰撞的，可是美艦的艦長呢？他自己睡了多久？醫官推門進來，看見林永祥正要起床，馬上走過來扶：

『艦長，好些了吧。』

林永祥焦急的說：

『扶我到戰情中心去。』

戰情中心裡全是熟面孔，南陽艦上駕駛台內的人員幾乎都在，吳本立和李文龍正在雷達終端機旁表情凝重的看著螢幕，見林永祥來到，吳本立立刻喊著：

『好極了，艦長沒事。』

事情大了。

當吳本立帶著陸戰隊佔領龐克希爾號後，因爲林永祥中彈受傷，他就和李文龍、老盧商量，和美艦的艦長表明是爲了避難才不得已登艦，南陽艦是眞的快下沈，而大海上除了美艦，沒有其他可以求援的單位。沒想到美艦的艦長不理會吳本立的解釋，他要吳本立下令所有台灣的水手放下武器投降，他認定南陽艦官兵的行爲如同海盜，必須馬上投降，而且美國法令對強盜的處罰是最嚴厲的。

儘管是在槍口下，美艦的艦長仍高傲的用眼角鄙視吳本立等人，他甚至說，台灣用那種美國三十年前淘汰的軍艦到南海，出了任何事，台灣本該就自行負責，何況美軍早警告南陽艦退出航道。

吳本立等人無法決定，於是暫時把美艦戰情中心所有的人都拘禁在上官廳，一切等林永祥醒來以後再說，可是在這段期間內，美艦的其他人員發現不對，帶著武器企圖奪回戰情中心，目前陸戰隊的預官排長帶著人和美艦人員僵持在戰情中心的兩個進口處。美軍艦隊也得到消息，航空母艦上的軍機不時飛掠龐克希爾號的上空，其他諸艦也都把龐克希爾號包圍住。

林永祥看了看雷達終端機，果然，所有的美艦都圍在龐克希爾號四周。

『美國人恨透了我們，他媽的，他們分不清兩個中國，自己不爭氣，還把氣出在我們頭上。』

美艦的一位軍官透露，當這支龐大的艦隊通過中沙島附近時，突然有兩艘老共的軍艦出現在他們右側，而在此前，美艦的雷達根本沒發現這兩艘軍艦，使他們措手不及，老共的船就在獨立號航艦旁做了一個大迴轉，還打了兩枚鷹擊飛彈的練習彈到獨立號前的海裡，這無疑是在警告且譏諷美軍，才在美國艦隊的驚慌之中撤進中沙。

『那是美國海軍從二次大戰以來，第一艘被擊沈的航空母艦，只不過老共手下留情罷了，可是老美的面子全沒了，到了南沙遇到我們才會像誰欠了他幾百萬似的。』

林永祥忍不住的笑起來，原來老共把兩艘江衛級埋伏在中沙就是爲了要挫老美的銳氣。江衛級要是眞的發射飛彈攻擊美艦，也許對老美還好些，打兩枚練習彈，還在獨立號前做迴轉，這簡直是拿著拖鞋去抹老美的臉，他們怎麼受得了，恐怕老美的艦隊司令非丟官不可。

林永祥看著外面的海，颱風已然過去，南海又恢復得那麼的平靜，狂風巨浪似乎只存於夢裡，劉金虎呢？他要怎麼回去向劉金虎的父親和妻子交代，他是艦隊的指揮官，他要怎麼向那麼多的官兵眷屬交代？

林永祥回頭問吳本立：

『有多少人上來？』

吳本立垂下頭回答：

『五十八人，包括十五名中興艦上的陸戰隊。』

『劉艦長有沒有消息？』

『沒有，中興艦上只有這十五個陸戰隊上了現在的這條船。』

南陽艦上有兩百七十個人，中興艦上也有一百多人，如今只剩下這五十八人。

『有沒有繼續搜救？』

吳本立說：

『也許其他的美國軍艦會救起一些人吧，我們現在能控制的只有艦首部份，老盧領著十多個人在艦首設法看看海上有沒有飄流的弟兄。』

林永祥沈默下來，這個錯是要怪天氣呢，還是怪老美，或許是他自己吧，當時如果他不猶豫，應該讓南陽艦先避開美國的艦隊，可是他的職責又不能讓他這麼做。怪他眞去打撈么四洞五，若是不去花那個時間，也許是不會和美國艦隊撞上的，說不定連颱風都能避過去。

他不能再猶豫了，他對吳本立說：

『我和美國的艦長談談。』

把美國艦長請到艦長室，對方是個留著小鬍子瘦高的中校，名叫彼得，他對林永祥的解釋絲毫也聽不進去，他引用戰爭法和國際法指責林永祥所犯的錯誤，強調美國艦隊是在世界維持和平，林永祥是海盜，只有投降一途。

美國艦隊透過無線電一再向龐克希爾號呼叫，他們已經知道發生了什麼事，但弄不清是台灣人或是中國人搶上了他們的軍艦，吳本立始終沒回答過。

林永祥和彼得最後達成簡單的共識，林永祥同意彼得把艦上所有的人撤走，也同意彼得和他的艦隊指揮官聯絡，如果美方願意承認這起海上波折是他們的錯，林永祥可以投降。彼得和他的長官講了很久，也把艦上的情形報告得很詳盡，結果美軍的艦隊指揮官決定先用直升機把龐克希爾號上的所有人員撤走，留下艦長和兵器官做人質。

人質？林永祥有點哭笑不得，他根本無意把彼得留下來當人質。

美國獨立號航艦上的直升機一架架飛來，載了人就飛走，緊張的艦上武力對峙局勢也消除，吳本立和李文龍正領著部屬努力弄清這條船的操作，輪機長也領著他的人到輪機房去，至少他們現在能做的是搞懂怎麼讓這條船動起來。伙伕長最高興，他對美艦上寬大的廚房簡直是讚不絕口。

人員都撤走之後，美方來了最後通牒，要求林永祥在三分鐘內投降，否則將對龐克希爾號發動攻擊。是彼得教對方再等待一陣子，他有信心能把這些台灣的海盜說服而棄槍投降的。

林永祥也不知道下一步該怎麼走，他只知道，如果美方不同意把颱風期間所發生的事誠實的向美國和國際間說明白，他不但會損失兩條船、幾百條的人命，還會使國家陷入外交上的麻煩裡，而且他已經確信，唯有自己把所有責任扛起來，否則是解決不了的。

伙伕長弄了早餐來，林永祥請彼得和他的兵器官一起去用餐，他把自己的任務，除了搜救么四洞五的部份外，全告訴彼得，也把中興艦當時的狀況再說一次，他希望彼得能了解，他是不得已才爬上龐克希爾號上來的，他有幾百個官兵的生命要顧，他只有上這艘軍艦，怎曉得美艦上一個人也沒有，他更來不及在南陽艦上就請求龐克希爾號的登艦許可。

『如果我提出登艦申請，在那個時候，你會同意嗎？』林永祥問。

彼得皺著眉，他看著林永祥，搖起頭來說，他是絕不會同意的。

彼得軟化下來，他說他可以體諒林永祥的心情，可是現在的問題要怎麼解決呢？林永祥再堅持下去，美軍艦隊很可能會發動攻擊。對此，林永祥說，他還要再思考一下。

其實林永祥並無意把彼得當人質似的留在艦上，可是他會需要一個見證人，再說彼得是艦長，只要軍艦沒有恢復到他的手裡，他也無法離去吧。

吳本立從雷達上發現美軍有新的狀況，各艦都在往後退，把包圍圈放大，這當然是攻擊的前兆，而根據龐克希爾號上的美軍密碼，李文龍發現，美軍正從本土調一支陸戰隊的特勤單位來，那麼美軍也有可能用突擊的方式，把特戰隊員送上龐克希爾號來。

林永祥請彼得和他的兵器官到戰情中心，然後林永祥問：

『文龍，你弄清了船上的武器系統了嗎？』

林文龍指著一排終端機說：

『沒問題，全在這裡。』

坐在終端機旁的全是南陽艦的弟兄，有的是輪機兵，有的是砲手，林文龍說：

『我們的大專兵很管用，他們把神盾摸得清清楚楚。』

這排終端機是美軍艦上的神盾終端系統，也就是神經中樞。龐克希爾號的武器分爲四大部份，對空、對海、反潛和自衛，對付水面上目標是經雷達鎖定敵艦後，即送回到終端機，由意志決定系統決定是否或何時發動攻擊，一旦決定攻擊，就會把命令傳達到武器管制系統，而後發射艦尾的魚叉反艦飛彈。對付水底目標是由反潛直升機和艦身內的聲納發現且鎖住敵人的潛艦，透過敵我辨識系統，確定為敵艦後，把資料全部送回主戰術電腦，同樣的經過意志決定和武器管制兩個系統，再發射反潛火箭或是MK46型短魚雷。

神盾級上最先進的是神盾，一般的對空搜索雷達是在艦身高處以不停的轉動來偵測周圍的天空各個角落，可是因為是轉動式，總會有空隙，神盾級改用SPY-1的方陣雷達，它安裝在主艦橋的四個面，不用轉動就可以不停的監視整個空域，加上快速的處理電腦，使它能同時對十二個空中目標物進行追蹤和鎖定。當神盾發現了敵機，就會把消息轉到MK99型標準型防空飛彈的管制雷達上，由管制雷達鎖住敵機，資料也經過意志決定和武器管制兩個系統，一旦下令發射，命令會到達飛彈和其雷達，標準型飛彈即可消滅敵機。

因為電腦的處理速度快，雷達的鎖定目標多，使神盾級的飛彈發射速度也很重要，從龐克希爾號開始，神盾級巡洋艦全部改為MK41型的垂直飛彈發射系統，在艦首和艦尾各有一具發射器，每具有六十一個飛彈槽，也就是全部有一百二十二枚的飛彈，大部份執勤出海時，其中有部份會裝反潛火箭和戰斧巡弋飛彈，這可能是全世界最強大的海上防空兵力。

李文龍已經檢查過，龐克希爾號上沒有戰斧，這使林永祥鬆一口氣，因爲戰斧可以裝核彈頭，是戰略性武器，要是艦上有戰斧，只怕美軍早就發動摧毀龐克希爾號的攻擊了。一百二十二個彈槽，有七十二枚標準飛彈和二十二枚反潛火箭，有二十八個空槽，頗不尋常，照理是塡滿彈才會出海執行任務的，但林永祥沒有問彼得，反正他也不用那麼多的飛彈。

林永祥用無線電通知美軍，他要試射標準型飛彈，美軍有些驚慌，但林永祥特別強調是試射。他要李文龍把飛彈的射高定在五千公尺，先發射兩枚，沒多久，艦首的飛彈槽打開，兩道火光衝上天空，戰情中心的窗前全是煙霧。

兩枚飛彈順利的在五千公尺爆炸，戰情中心裡響起歡呼聲，他們眞的會用老美的飛彈了，而林永祥這麼做倒不是爲了試飛彈，而是他必須警告美軍不要輕舉妄動，龐克希爾號此時不是無武裝的。

美艦又開始撤退，而且是快速的撤退，撤到了龐克希爾號的視界之外，林永祥明白，美艦是擔心他發瘋起來對美艦發動攻擊，而龐克希爾號上反艦武器最大的射程是魚叉飛彈的一百七十公里，因此美艦至少會退到這個距離之外去。看不到美國軍艦並不意味安全，美國獨立號航艦上的戰機已經起飛了，那才是美軍準備用來對付龐克希爾號的武器。

輪機長通話上來，船上的推進設備不成問題，於是林永祥下令，向西北西航去。

林永祥變得很沈著，他下達的每一個命令都清晰準確，官兵也都充滿信心的執行命令，其實林永祥肚子裡早就盤算好，他的計畫是把龐克希爾號駛到東沙島再說，他得爲艦上其他五十七個人找到安全的地方上岸才行，接下來他才能用他迄今仍想不出的對策來處理這條艦。

突然公用頻道上出現中國話，是艦令部司令的聲音，他不停的喊著南陽艦的官兵和林永祥的名字，林永祥下令暫時關閉通訊，此刻他的長官一定像熱鍋上的螞蟻，沒有人能處理這種狀況的，林永祥想了許多次，總部能做的只有敎他馬上投降，可是投降之後的善後才複雜，依他的判斷，只怕政府會受到四十多年來最大的打擊，美國不再賣武器給中華民國，台灣被指爲海盜之鄉。現在只有他能處理這件事，因爲是他造成的，他也有這艘火力強大的軍艦。

電訊士突然叫起來，他截收到一封電報，是拍回台灣的，他馬上解開密碼，是太平島守軍向台灣發去的求救電，越南海軍又回到該島附近，而且要求守軍投降。

林永祥一身冷汗，沒想到他惹出的禍這麼大，越南一定是趁他佔領龐克希爾號，假意站在美國這邊的向太平島發動攻勢。太平島向台灣求救又有什麼用呢？現在海軍正焦頭爛額，怎能派出兵力來援救太平島呢？他馬上發出命令：

『右滿舵，目標太平島。』

戰情中心內又是歡呼聲。

離開新加坡後，林志霄的精神好起來，繞過越南南端就可以看到南海，此刻南海的意義對他而言是和台灣相同的，他將要回到家了。他打開無線電，試圖收一些音樂，沒想到他收到了颱風的消息，這是個空前的超強烈颱風，這可麻煩了，他得避開颱風，那麼他最好的選擇是直接飛越西沙，萬一有什麼狀況，他還可以降落在東沙島，於是他打開無線電，把修正後的航線通知楊易帆，兩架幻象便向左迴旋，從南沙的西邊掠過。

颱風前的天空是最美麗的，可是以前他沒有機會在空中好好的欣賞，現在不會有塔台教他趕快降落做防颱準備，他可以盡情的欣賞。

幻象上有對空和對地的搜索雷達，也就是可做對空和對地的攻擊。林志霄打開終端機，設定在五十海浬的對地進行搜索，他原是想試試這具雷達，沒想到他看到一大堆光點，是軍艦，航行速度很快。南沙怎麼會出現如此多的軍艦，難道眞發生了衝突？他降低高度，他想看一下究竟是什麼情況，楊易帆也隨他下來，兩架幻象輕盈的穿梭在雲朵間。

是軍艦，林志霄已能看到快速移動中軍艦所拖曳出的白色浪尾，他再按另一個按鍵，瞄準儀出現在畫面正中，要是他有炸彈或反艦飛彈，他只要一扣扳機就能炸沈一條船了。

座艙裡嗶嗶聲大起，是雷達預警器的警告，有敵人的雷達電波掃上他了，他立刻拉起機頭，重新竄升進雲層裡。總部要是知道他飛到別國軍艦的船頂上去，他能有的處分必定是停飛，這可千萬不能讓總部知道。

南沙的局勢眞的很緊張，軍艦也提高了警覺性，不知那是哪一國的艦隊，依方位來看，不是越南就是印尼的吧。

時差已把林志霄搞得很迷糊，他看看錶，蘇菲應該還在睡，她是個睡著時尤其可愛的女孩，會讓他覺得她才十多歲，而不自覺的有心疼的感覺，生怕她被吵起來，有一次林志霄五點多就睡不著的起來站在窗前看街景，當他回頭時，看到半張臉遮在陰影裡的蘇菲的臉，他就拿了張椅子坐在床頭看著蘇菲，直到蘇菲醒來，他才發現自己早已錯過七點半的那班火車了，那是他在法國休假唯一的一次逾時歸營。

馬大個眞的打電話給蘇菲了嗎？馬大個就是太賊了點，口頭上說的靠不住，幸好只剩下半個多小時的航程，到了台北就可以打電話給蘇菲了，這是林志霄這麼多年來第一次感覺到愛情的滋味，他媽的，有時很溫馨，有時也眞他媽的煩。

抬頭顯示器上出現兩個光點，在正前方，林志霄猛地把注意力抓回來，在這個海域會是哪一國的飛機，從飛行速度上來看，絕對是戰機。楊易帆也發現了，他擺著機翼。

王八蛋，是老共的，除了老共，在這個海域不會有這種速度的戰機，而且必定是蘇愷。

林志霄很清楚老共在西沙的永興島有機場，但據他所知，派駐在那裡的是強五攻擊機，是一馬赫的戰機，依雷達上的資料，對頭飛來的飛機速度在兩馬赫，不是蘇愷還能是什麼，難道老共已經把蘇愷都調到西沙來？

蘇愷應該已經發現了幻象，完全是衝著幻象來的，果真如此，老共在後面一定還有安排，不會只有這兩架，這就麻煩大了，他得往東飛，飛到菲律賓去才能避開蘇愷，可是這一來燃料又會成問題，沒有時間再思考了，林志霄馬上打開通話器對楊易帆說：

『Billy, go northeast with your afterburner, I'll take care of those flies.』

楊易帆不嚕嗦，他回答：

『Take care ,see you Laochen's place.』

林志霄差點笑出來，Laochen是台東一家純喫茶店的老闆，總是想到志航基地裡來拉生意，基地裡的阿兵哥幾乎都知道這家店，林志霄也聽說過，卻從來沒去過，楊易帆約他在那裡見是什麼意思？

楊易帆向右做了個漂亮的迴轉，便朝東飛去。楊易帆這種飛法是讓對方誤認他是回頭了，等飛出一段距離後再轉回來從南沙上空奔台灣。

林志霄的心情出奇的快樂，他反正是要把蘇愷全引過來，他也沒有半發的機砲子彈，正好可以玩玩他沒試過的動作，他拉起機頭先竄升到一萬五千公尺，這是幻象的安全高度，可是他不打算停，他繼續爬升，一萬七、一萬九，飛機又震動起來，他感覺呼吸被壓迫得喘氣，可是卻沒有氣喘要發作的感覺，兩萬，機翼好像已經折斷了，林志霄完全放開油門，任由飛機像蛇螺般的旋轉而下，兩架蘇愷在他的下方也正努力爬升中，林志霄想，此刻在蘇愷的雷達裡，老共一定會以為他的飛機是失速或故障而滑落。落到一萬七，蘇愷就在他的眼前了，他突然加速，一個鷂子翻身從兩架蘇愷的中間斜著機身穿過去，他可以看到其中一個老共飛行員的臉和他機尾的紅星。他啓動了後燃器，拚命的往前衝，再次進入兩個半馬赫的超速飛行，後面兩架蘇愷咬著不放，一下子林志霄就衝過西沙上空，然後他往下衝，再一個抬頭，把速度減低，他看到兩架蘇愷又出現在正前方，林志霄沒有停，但他放慢速度，就在兩架蘇愷面前，他把機頭拉高，拉到九十度，他是把機腹對著蘇愷，再重重的把機頭放下，蘇愷顯然慌了手腳，兩架不約而同的也放慢速度，此時林志霄猛加油門，幻象再呼嘯上衝，把兩架蘇愷就留在那裡，他頭也不回的向東北飛馳而去。

林志霄快樂得想唱歌，他最喜歡法國的一首老歌叫做『我的外籍兵團士兵』，他情不自禁的哼起來。老共一定到現在還搞不清是怎麼一回事。林志霄是在沒有辦法下，決定賭下去的，他所賭的是老共不知道這架漆著法國空軍迷彩的幻象戰機是台灣的，所以他表演各種特技，使老共飛行員更弄不清幻象要幹什麼，他也表明了自己是無武裝的軍機，把對方搞到不知如何對付他才好時，也就是他開溜的時候了。

日後老共如果知道這是國軍的新幻象戰機，那兩個蘇愷飛行員一定會嘔死。

『我不知道他的名字，我對他一無認識，我的士兵，他一整晚的愛找，而且如預期的扔下我，在充滿陽光的清晨離去。』

林志霄唱著『我的外籍兵團士兵』，他的油量警告已經顯示出來，他別無選擇的只能飛往東沙，那裡有個機場，是個流浪戰機飛行員的機場，機場裡沒有什麼人，也買不到威士忌，更沒有會愛上外籍士兵的女人，但此刻他要去那裡。

楊易帆呢？雷達上沒有楊易帆，林志霄卻一點也不擔心，楊易帆早就成熟了，他可以把幻象的訓練空軍飛行員工作完全的交給楊易帆，然後自己到法國去做外籍兵團的一員，他不會在充滿陽光的清晨離去，他會愛蘇菲很久很久的。

龐克希爾號接近太平島，雷達幕上清楚的看到五個目標物，是那五艘越軍艦又回來了，吳本立笑著問林永祥：

『報告艦長，我們是用撞的還是用壓的去趕走那些越南船？』

林永祥也笑起來，他現在所考慮的是要不要把越南船打沈，那會是很容易的，他只要發射一枚魚叉就足夠讓一艘越南的PETYA巡防艦忙著跳海逃生，可是這適當嗎？當軍人容易，牽扯上政治就讓人頭大的了。

彼得不發一言的坐在角落的一張椅子上，林永祥問他：

『我現在攻擊越南軍艦恰不恰當？』

彼得沒有回答。

越南軍艦已經向島上開火，太平島的守軍也還擊。雙方都是五吋砲，越南軍艦未必討得到便宜，林永祥決定暫時不動，先看狀況，要是守軍撐不住他再出手也不遲。

艦令部和總部的電報都傳了進來，是總司令和艦令部司令具名發出來的，都要他立刻向美軍投降，林永祥把電報收進口袋，他看了看美國艦隊的位置，九艘艦以半月形的部署在他的後方，而五架飛機也在龐克希爾號四周的空域裡盤旋，李文龍提出警告：

『報告艦長，老美飛機的速度快，一不當心讓它們逼進來就不好收拾。』

林永祥點點頭：

『通知美國人，我們要再試射標準飛彈，一次五枚，請他們避開我們的演習區。』

通知一出去，五架美機就從終端機上消失，李文龍問：

『要不要發射，請指示方向和高度。』

林永祥說：『等一下，那是什麼？』

雷達幕上從西方出現三架飛機，是越南的米格二十一，它們來南沙做什麼，支援他們的艦隊打南沙？林永祥下令通知來機確定身分並且立刻離開此一海域。對方沒有回答，而且航向不變的直撲太平島和龐克希爾號。

林永祥下令：

『標準飛彈待命。』

李文龍說：

『標準飛彈備戰。』

林永祥盯著雷達幕看，米格距太平島只有二十公里了，他說：

『三發齊放。』

『三發齊放。』李文龍用如同在南陽艦甲板上的嗓門大聲喊著。

『三發齊放。』坐在終端機旁的士兵也喊。

艦身一陣顫動，戰情中心前方又籠罩在白色的煙霧裡，林永祥端起望遠鏡看，三枚飛彈拖著火光的尾巴朝天空直竄而去。林永祥向彼得豎起右手拇指，彼得只是聳聳肩。

『目標消失。』士兵喊著。

『目標消失。』李文龍喊。

三架米格就這樣消失在雷達幕上，像是打電動玩具一樣。

伙伕長興奮的跑進來：

『喂，艦長，你有沒有看到，我在外面看得很淸楚，三架一起被幹中，一架也沒逃掉。你們要吃什麼，牛排還是地瓜粥？』

肚子眞的餓了，林永祥叫官兵分批執勤去吃飯，因爲短期內越南是拿太平島沒辦法的。

太平島指揮官的聲音出現在公用頻道：

『報告艦長，謝啦，你也好自爲之，我會想念你的。』林永祥不禁又大笑起來。

越南的海軍艦隊停止了對太平島的砲擊，轉而向龐克希爾號圍來，林永祥很好奇，難道老越要來打這艘巨大的美國軍艦？

他對李文龍說：

『一二七厘砲備戰。』

李文龍很興奮的大叫：

『一二七厘砲備戰。』

龐克希爾號的前甲板有一門一二七厘砲，是軍艦上的主砲，射程爲二十三公里，每分鐘可發射二十發，是自動瞄準與自動裝塡彈藥的，比起越南軍艦上的七六砲只能打十五公里，要遠多了也準多了，林永祥不想用魚叉飛彈，他還得給越南人留條生路，他說：

『對越南旗艦，三發點放。』

李文龍複誦一遍，幾秒鐘後，轟隆的砲聲響起，才打了第一發就擊中越南旗艦的艦首甲板，只見冒起沖天的黑煙，有好幾個越南兵急著往海裡跳。第二和第三發也都擊中艦首，越南艦的艦首和艦首砲被轟得只剩下殘破的鐵殼。另兩艘越南艦也對龐克希爾號開火，砲彈全落在龐克希爾號的前方，水花冒得很高。

越南艦隊開始後撤了，林永祥下令『維持備戰部署』，他滿意的看著倉惶逃走的越南軍艦，他對李文龍說：

『文龍，你可以到成功級上做兵器長了。』

李文龍也笑起來。

林永祥看看老美，兩個老美已改變原來不屑的表情，他們或許無法理解台灣軍人怎麼在如此短的時間內就能控制龐克希爾號上複雜的電戰系統，林永祥對他們說，台灣是世界第一的電腦出口國，這些終端機的玩意，台灣小孩子也能操作。不過他也拍拍艦長座椅，豎起拇指的說：

『You got the best battleship of the world.』

他有非常好的食慾，他可以吃掉這艘軍艦上最大的牛排，他有禮貌的問彼得要吃什麼，彼得居然說：

『Do you have Chinese food? I mean real Chinese food.』

有的，林永祥要教伙伕長做粉蒸肉、紅燒蹄膀、豆瓣魚，他是眞感到飢餓。

林志霄看到了東沙，那個在藍色海水裡的白色的島，他和太平島的塔台聯絡，他這才想起來，他該怎麼聯絡呢？告訴塔台他是『飛鷹』？有人會知道『飛鷹』這個最高機密的代號？還是乾脆說，我林志霄，空軍的林志霄中校？

管他的，林志霄對著通話說：

『摩西摩西，我是林志霄，沒油了，我現在要在東沙貴機場降落，請求引導。』

竟然沒有回音，他媽的，林志霄的油料眞的撐不下去了，他吼起來：

『我是林志霄，我要降落，請引導，如果再不回答，我只有一頭栽進塔台裡。』

是個熟悉的聲音：

『林志霄，歡迎來到東沙島，我是劉興國，等你好久了。』

是劉興國？他不是在總部當參謀嗎？怎麼會出現在太平島，難道是被下放了？

林志霄管不了這許多了，他油表指針已經停在底部，根本動也不動了。林志霄對準跑道就往下滑，他必須一次就落地成功，他沒有再供他重新降落的油料了。

飛機貼近跑道，機輪順利的接觸到地面，他聽到劉興國說：

『同學，拉個減速傘吧，聽說法國人的減速傘比你的內褲還花。』

幻象拉出減速傘，是藍白紅三種顏色，法國人眞會宣傳，可是法國人不知道，藍白紅也是中華民國的旗色。

一輛吉普車從跑道頭出來，車子上有『FOLLOW ME』的字樣，林志霄就跟著車子來到一個臨時搭起的野戰帳篷內，一組機工衝出來，林志霄認得他們，是維修大隊送到法國受訓的那些痞子。機工長打開座艙罩，林志霄劈頭就喊：

『你們怎麼全被發配邊疆了。』

機工們熟巧的展開檢查和加油工作，劉興國就在吉普車上，招呼林志霄上車直奔指揮中心，劉興國說：

『楊易帆也快進來了，他的情況比你更慘，好像已經乾鍋了。』

楊易帆是往東飛再折回北，而且也是點了後燃器飛，一路上林志霄也擔心他的油料不足，這小子也機靈的往東沙來。

到了指揮中心，第二架幻象也出現在跑道前方，飛機幾乎是用滑的，難道沒有油只能滑行不成。是個重落地，飛機重重的落在跑道上，按理這是要處分的，不過此刻能順利著陸就已經不容易。

吉普車再駛回跑道去接楊易帆，劉興國招呼林志霄進去休息，他抓起辦公桌上的一個電話對林志霄說：

『國際電話，你告訴總機，他會幫你接到地球的任何一個角落。』

林志霄怔住，劉興國怎麼會知道他急著打電話？

『是馬聯隊長從法國打電話回來交代的，他還要我轉告你，他不願意和法國女人說話，要說你自己說。』

林志霄覺得臉上有點發熱，他接過電話，劉興國已經走出去，他對總機說，接巴黎。

電話響了一聲就有人接，是蘇菲，蘇菲的聲音有些顫抖，聽到是林志霄的聲音後竟然哭起來，她說她剛看了電視新聞，台灣在南海和美國打起來了，所以她很擔心。和美國打起來？林志霄說他才剛到。

『蘇菲，我吃到里昂菜了。』

蘇菲說：

『我秘書告訴我，說你從里昂打電話來，你到里昂去做什麼？』

『我到里昂去學法國鴨子怎麼做，下次我來巴黎做給你吃。』

蘇菲又哭起來，她並不是愛哭的女人。她對林志霄說，她夢到林志霄的飛機在海上被一艘軍艦開砲打中了，然後就聽說台灣和美國在南海開戰，她嚇死了，因爲林志霄在里昂打過電話找她，她一直期望林志霄留在里昂，沒有飛回台灣。林志霄教她放心。

『蘇菲，你知道嗎？在台灣我是海軍最恨的人，我最會打船。』

蘇菲說林志霄走了以後，並沒有人打電話給她，林志霄罵了一聲，馬大個太不守江湖道義。爲了怕蘇菲擔心，他說已經到台灣了，等他回到家他會再打電話去的。

掛上電話，劉興國把楊易帆接進來，楊易帆的臉色很差，他說：

『報告學長，我暈機了。』

大家都笑起來。

劉興國在總部待命，新加坡畢上校打電話來說李少將沒接到『飛鷹』，擔心『飛鷹』的油料不夠，要求派人到東沙待命，總司令就叫劉興國帶了幻象的維修小組立即飛東沙，才到了沒多久，林志霄就到了。

林志霄焦急的問和美國開打是怎麼一回事？

劉興國頹喪的說，陽字號和中字號組成的南沙運補支隊在南海遇到颱風，風浪裡中字號被美國軍艦撞沈，劉金虎中校失蹤，而陽字號在艦長率領下，登上了美國的軍艦，陰錯陽差的把美國軍艦給佔領，現在參謀本部正頭痛如何處理，美國的態度很強硬，要陽字號上的人員馬上投降，可是被拒絕了。

劉興國說：

『志霄，你記得林永祥吧，他就是陽字號的艦長。』

林永祥？林志霄記起那個凡事都一板一眼，連臥進也不肯摸魚的那小子，在步校受訓時，他和林永祥睡上下舖，每次緊急集合林永祥總是會把脚踩到他頭上來。居然是林永祥，他佔領美國軍艦做什麼呢？

劉興國不再多說，已經有兵送吃的來，劉興國說：

『馬聯隊長交代，你們一定餓壞了，因爲法國人的幻象戰機上忘了裝微波爐。』

眞餓了，林志霄和楊易帆不客氣的坐下就吃，是劉興國從台北帶來的豆漿和燒餅油條，連蛋餅也還是熱的。劉興國拿著一個熱水瓶站在一旁說：

『Coffee or tea?』

三個人大笑起來。

劉興國把接下來的行程告訴林志霄和楊易帆，總部的決定是在加完油和檢修完成後，兩架幻象直接飛到花蓮基地報到，隨即進入戰備，因爲可能要用到幻象出任務，至於是什麼任務，目前上面還沒明說。

楊易帆問：

『不會要我們再飛回法國吧。』

林志霄說：

『好極了，你不去我去。』

蘇菲在電話裡問他什麼時候才能再去法國，林志霄當時自信滿滿的回答，最多一個月，現在仔細想想，他能不能再去法國都是問題，接著是訓練新飛行員熟悉幻象的操作，他不知什麼時候才會有假期了。

『還有，馬聯隊長要我轉告志霄你，法國空軍總司令部向他提出要求，希望能再到法國去一趟，他們想找你談談飛COBRA的經驗，達梭的工程師也想和你談。』

林志霄抓住劉興國的襯衫領口說：

『你馬上請台北幫我訂機票。』

楊易帆說話了：

『學長，幫個忙好不好，你以爲全世界只有你一個人談戀愛啊。』

總部來電話，劉興國表情凝重的接著電話一面不停的喊『是，是』，等掛上電話，他向林志霄擺擺手：

『你的法國假期取消了，我們也暫時不回台灣，總部教我們在這裡待命，等下C么三洞會飛回來，幫你們的飛機掛彈。』

『什麼，掛彈？』

第九章　飛鷹的任務

大直的海軍總部鬧翻了天，總統已經下令，要南陽艦的艦長林永祥立刻向美軍投降，再下去只怕中美關係就完蛋了，事件的發生固然是肇因於天候等意外，可是林永祥強佔美國軍艦不肯交還給美軍，這會使美國認爲台灣是存心的了。近萬噸的美國海軍一級戰艦，竟會被幾十個台灣水兵水手輕易的佔領，對美國而言簡直是貽笑國際，美國政府的惱羞成怒也是可以體會的。

總部不斷的設法和龐克希爾號上的林永祥聯絡，但林永祥始終不回答，使海軍總司令也繼空軍總司令之後，送上自請處分的報告。

民間的反應比較特別，有媒體開始追林永祥佔領美艦的原因，國防部不肯說，怕把實情說出來，多數的老百姓會站在南陽艦這邊。死了這麼多的水兵，是很難教老百姓不把情緒集中在美國人頭上，而此時絕不能再破壞中美關係，會不可收拾的，因此對外，軍方一概表示南沙事件的詳情仍不清楚，正設法和南陽艦的艦長聯絡中。

爲什麼運補支隊會全部沈沒？爲什麼南陽艦的官兵會把自己的船扔下，去佔領美國的軍艦？

美國的新聞傳到台灣，美國報紙的報導是，台灣兩艘軍艦在南海和美國艦隊發生衝撞，台灣的軍艦都被撞沈，其中部份台灣水兵爬上美國的龐克希爾號，用武力佔領該艦，其後還發射飛彈向美艦示威，且將龐克希爾號的艦長和兵器長當成人質，美國艦隊只有暫時和龐克希爾號保持距離。該艦艦長和兵器長的妻子和子女出現在電視上，哭著要台灣政府立刻把他們的先生、父親還給他們。

原來台灣軍艦是被美國軍艦撞沈的，民間譁然，認爲如果是美國海軍的錯，政府也要討回公道，再說到現在爲止，老美一個傷亡也沒有，台灣海軍卻陣亡和失蹤了幾百人，顯然其中有隱情。

當龐克希爾號把越南的米格機和巡防艦擊落與打傷的消息再傳回台灣後，民間的情緒高漲，認爲南陽艦的官兵是英雄，他們佔領美艦的目的雖還不明確，可是至少在他們的努力下，把包圍太平島的越南軍隊擊退了，保護了太平島，是英雄的行爲。

有一個報紙的社論指出，台灣的海空軍對於太平島被圍沒有一點對策，甚至只有讓太平島孤軍自生自滅，如果不是林永祥和他的手下爲太平島解圍，也許太平島已經落在越南人手裡，這種情況下，軍方還能指林永祥是叛賊嗎？

越南政府出奇的沒有向台灣提出抗議，甚至連一點聲音也沒有，可能是因爲他們是理虧的一方，這更使民間視林永祥等爲英雄。

參謀本部陷入無計可施的困境，美國政府已經下了最後通牒，台灣有兩個選擇，第一個是台灣自行勸降林永祥，把軍艦完整的還給美國，否則由台灣負責把龐克希爾號炸沈，免得龐克希爾號在海盜的挾持下繼續對其他國家造成傷害，台灣方面也要賠償美方所有的損失。第二個選擇是由美方對龐克希爾號發動攻擊，所有損失也由台灣賠償。無論哪一個選擇，美國都將重新檢討美台關係，同時暫時中止對台灣所有的軍售和F-16戰機交貨行動。

外交部駐美代表已被美國國務院通知，在二十四小時內返台，這等於是也中止了美台所有的外交來往。

總統下了命令，參謀本部在二十四小時解決此一事件。

參謀本部在召開會議後決定，海空軍總部分別提出攻擊龐克希爾號的計畫，並由海軍設法勸林永祥向美軍投降。

海軍把林永祥的太太、母親和劉金虎的父親都找到總部，不停的設法和龐克希爾號通話，空軍也召開攻擊行動的會議，會中原則上決定向美國提出提供援助的要求，因爲台灣現有的戰機都到不了南沙，最好的途徑是派出嘉義聯隊的F-5E，配掛小牛和雄風二型空射式反艦飛彈先飛到菲律賓，再轉至菲國南部巴拉望島的基地，從該地出擊。在美國的協助下，菲律賓已原則上同意『借道』，美國也會把南沙及其周邊的狀況和氣象不停的提供給台灣空軍，且會在必要時提供空中加油的支援。

這個計畫有若干困難度，F-5E的續航力太短，即使假道菲國，從巴拉望島攻擊龐克希爾號的機會也很小，軍艦是會移動的，只要龐克希爾號往西移，F-5E就無能爲力了。龐克希爾號是著名的防空艦，對空火力非常強大，空軍對於攻擊該艦沒有一點的把握，這是在國際注目下進行攻擊，如果空軍的行動完全失敗，在國內和國際上都會成爲一個笑柄，空軍的聲望只怕毀於一旦。再說，F－5E連空中加油的設備也沒有，美國的加油機想提供協助，台灣也沒有辦法消受。

參謀本部覺得空軍單方面進行攻擊，可能眞會有困難，因此也要求海軍出動潛艦，由空中和海底共同出擊。

在總統府和參謀本部的命令下，空軍沒有選擇，這場仗是非打不成的，那麼由誰來負責這次的攻擊任務呢？有人提出：林志霄。全場沒有人說話，大家都知道林志霄是反艦攻擊的高手，在英國航空展上的表演也是有目共睹的，他已經飛抵東沙，應該可以調他領隊去執行此次的任務。有人再提：爲什麼不使用幻象呢？幻象的性能、續航力和武器系統都要比F－5E好，用幻象的成功機率會比較大。會議室內陷入了沈寂，在場的人都知道『飛鷹』計畫，空總的洩密案還在進行調查中，現在派出幻象出擊，它機身上的迷彩都還沒改過來，教幻象掛著法國軍機的迷彩去執行任務？這不是等於把『飛鷹』計畫對全世界公開，使法國、新加坡與中共交惡，將來還有誰敢幫台灣的忙？這也是等於斷了台灣未來的路子。

後勤司令提出辦法，他認爲把幻象重新塗裝要不了一個小時，如果立刻通知東沙，是可以馬上著手辦的，反正只是把法國的迷彩蓋掉，噴漆都可以做到，等執行完任務回到台灣再重新塗裝。

這個辦法得到總司令的同意，總司令認爲幻象從東沙返台的這段航程也不易保密，即使不執行對龐克希爾號的攻擊任務，重新塗裝後再飛回台灣也是比較好的方法。

若是由幻象去執行這項任務，路線是幻象由東沙直飛菲律賓呂宋島的軍用基地，加完油後再飛巴拉望島。執行攻擊任務時，幻象要掛上相當多的武器、彈藥和油料，使它的作戰半徑只能有七百三十公里，從巴拉望島到太平島的距離是六百公里，算起來油料也是很緊，所能有的攻擊時間很少，最多兩架飛機都只有一次的攻擊機會，萬一失敗，就完了，龐克希爾號也不會再等著幻象去炸第二次，但這是最好的選擇了。

所有的人都同意這個建議，司令部立刻通知在東沙的劉興國，『飛鷹』留在東沙待命，不要飛回台灣，C-130H則儘快把幻象所需的裝備和彈藥送去東沙，使幻象完成作戰準備，林志霄和楊易帆也立刻和台灣共商攻擊行動。同時東沙守軍立即以現有的油漆，爲幻象重新塗裝，尤其重要的是機尾要有明顯的空軍編號，以便顯明這兩架戰機早就編入空軍的戰列。任務完成後，將對外公開發佈消息，說明幻象第一批的交機早已完成，空軍是爲了保密才未對外宣佈。

林志霄和楊易帆都在指揮中心裡睡著了，劉興國刻意不把命令告訴他們，讓他們先休息，畢竟一切要等補給品來到後才能著手準備，況且爲幻象裝彈，也要費上一番工夫。另一方面東沙只有叢林迷彩的塗料，劉興國只有把幻象漆成對地攻擊所用的草綠和土黃夾雜的叢林迷彩，並在機尾分別寫上1801和1802的編號。

最令劉興國困擾的是，林志霄和林永祥是步校的同學，要林志霄去打自己人，還是他的朋友，依他的個性，恐怕不會願意，但這又是不可違背的命令，要怎麼說服林志霄呢？

劉興國來到臨時的機堡內，他終於有機會親眼看到這種國軍的新戰機。他坐進駕駛艙去察看設備，他早就該經歷完幕僚的工作回到部隊去，『飛鷹』計畫延後了他的期望，等到這次的事件結束後，他要立刻請調回部隊，他應該有機會去飛幻象或是F-16的。

劉興國叫機工長拆下幻象機翼下的副油箱，那裡要安裝雄風二型反艦飛彈，副油箱只保留機腹下的一個。機工長有些好奇，他抬頭問：

『只一個副油箱？飛不回花蓮喔。』

劉興國對他搖搖頭，機工長一臉困惑的說：

『又不是去作戰，只裝機腹一個副油箱做什麼。』

話才說完，機工長警覺到幻象可能有任務，他瞪大兩眼看劉興國，劉興國再對他搖搖頭，機工長做出不可思議的表情走開。

眞正覺得不可思議的是海龍號潛艦的艦長張青雲，他一直奉命守候在東沙南方的海底，他所接受的任務是護送運補支隊通過東沙附近海域，然後他再等運補支隊回來，若有特殊狀況發生，潛艦司令部會通知他，可是從出海後就沒有收到過潛令部新的命令，反而是透過無線電，對運補支隊的情況有相當程度的了解，當南陽艦發出找到空軍么四洞五機的電報時，海龍號也截收到，曾有意前往南沙海域對進行打撈作業的運補支隊提供周邊的警戒，沒想到美軍艦隊竟進入南海，使海龍號連動也不敢動，怕被美艦偵測到。無論是友軍或敵軍，潛艦沒有奉命暴露位置，卻被對方發現，等於是作戰失利。爲了躲避美軍艦隊，海龍也就一直潛伏著。

張青雲從美軍的通訊中了解颱風時發生的事，他再也忍不住的悄悄把海龍號駛進南沙，且冒險在颱風過後浮出水面救人，南陽艦副長周文傑和其他二十一名水兵就是他救出來的，聽到周文傑講的經過，令張青雲唏噓不已，所以當他得知林永祥竟然佔領了美軍的龐克希爾號，潛艦內每一個官兵都很興奮，但他也爲林永祥擔心，佔領美國軍艦是不得已的，接下來呢，林永祥總不能永遠佔住美艦吧。張青雲悄悄的把海龍號往南移動，停留在距離龐克希爾號二十海浬處。

就在潛令部的攻擊命令抵達的不久前，聲納發現海底有不尋常的動態，是聲納士先發現的，西北方的海底有推進器的聲音，而且是陌生的推進器聲響，全艦即進入備戰狀態，這個海域內早就預期有伴隨美國艦隊的潛艦部隊，水中的推進器聲響可能就是美軍的。此時張青雲接到命令，要海龍號盡量往南移動，設法找尋空隙對龐克希爾號展開攻擊。

不可思議，總部居然會要他去打自己的同袍？

周文傑也看到了電報，他對張青雲說：

『艦長，這是命令，我無話可說，可是林永祥他是沒辦法才登上美艦的啊。』

張青雲也淸楚，但他不能無視於命令。

海龍號暫時也不能移動，因爲陌生的海底音響正向海龍接近中，聲納士凝神專注的聽著，他終於喊：『是KILO。』

不是美國的潛艦，是中共剛從俄羅斯買回來的KILO級潛艦。

事情越來越複雜也越來越有趣，中共在這個時候派潛艦南下，是針對美軍艦隊呢？或是龐克希爾號？最令張青雲難以處置的是，中共在中沙曾對美軍艦隊做出威脅性的佯攻，顯然中共對美軍艦隊的進入南海是有相當敵意的，那麼在這裡遭遇中共潛艦，會不會被誤認是美艦，而引發衝突呢？

聲納士報告，來的不只一艘，KILO級的後方又出現明顯的中共羅密歐級潛艦。張青雲覺得事態不妙，潛艦是適合單獨作戰的，沒有結隊而行的道理，除非它們有重要的任務，趕到某一地區對計畫獵取的目標展開包圍。三艘中共潛艦會以美國艦隊爲目標？不太可能，因爲美國艦隊有強大的對潛防護戰力，海龍也始終不敢冒險靠近，何況三艘潛艦本身就是很大的目標，羅密歐級的聲納聲尤其大，瞞不了美國海軍，還不如讓KILO單獨行動的好。

周文傑提醒他說：

『艦長，我們不能確定中共會對美國艦隊下手，在中沙他們有機會把獨立號航艦幹掉，但他們只做了警告性的射擊，現在的機會比中沙的伏擊要差多了，他們怎麼反而用潛艦來做冒險性的攻擊呢？』

張靑雲和周文傑面對面的怔住，難道老共的目標是龐克希爾號？張靑雲想，攻擊龐克希爾號對中共會有利嗎？不久前中共還對龐克希爾號發出電報致慰問，一副要拉攏林永祥的姿態，現在又想把龐克希爾號幹掉，邏輯上有點說不通吧。

和周文傑商量後，研判出幾個可能，如果林永祥決定投共，這三艘潛艦有爲龐克希爾號護航的用意，如果林永祥不理會老共，老共會以林永祥所不知道的水底這支兵力對龐克希爾號發動奇襲，中共艦隊還在北面，林永祥又無法使用艦上的美軍反潛直升機，很可能察覺不到老共潛艦的存在，而誤判是美軍對他展開攻擊，那麼林永祥一旦還擊，美國和台灣必然更會提早對龐克希爾號下手，這不只是造成美國和台灣關係的更加惡化，中共也更有機會在林永祥走投無路之下，不得不投共。

有了這些判斷，張靑雲覺得背脊骨一陣涼，他該怎麼辦呢？他沒有得到和中共交戰的命令，他出發前得到的命令是躲開老共的軍艦，但他眞能見老共對龐克希爾號展開攻擊？

聲納士提出警告，中共潛艦距離海龍潛伏的地方只有三十二海浬了。

在上官廳裡，林永祥絕口不提南陽艦的事，他爲彼得和他的兵器長介紹每一道菜，伙伕長很樂，他還特別做了一道冰凍紅豆湯，林永祥好奇的問他：

『老美的船上有紅豆？』

伙伕長不好意思的說：

『棄艦的時候我正在洗紅豆，順手就帶在身上。』

『軍人隨身不忘武器，』林永祥打趣的說，『你是伙伕長，隨身不忘帶伙食，也是很有道理的。』

彼得對每一道菜都讚不絕口，天曉得，伙伕長拿手的是日本料理，中國菜就差遠了。彼得還開玩笑的問伙伕長，願不願意轉到美國軍艦上去做事，伙伙長說：

『不行呀，可我眞羨慕你們的廚房。』

回到戰情中心，李文龍在椅子上打著瞌睡，吳本立則皺眉看著一通電報，見到林永祥便把電報遞上來。是台灣來的，由總司令署名，要林永祥在十二個小時之內向美軍投降，並立即和總部聯絡。

林永祥對吳本立說：

『你知道這封電報的意思嗎？』

吳本立說：

『要我們投降。』

『否則十二個小時內，老美會對我們發動攻擊的。』林永祥吸一口氣，『好，反正我也等不了這麼久了。』

吳本立還想說什麼，可是一個士兵從雷達前站起來。

『報告值更官，剛才那條船還在向我靠近中。』

林永祥和吳本立馬上走到雷達終端機前，是一艘頗大的船，吳本立說：

『是菲律賓的登陸艦，剛才在公用頻道裡向我們通話，說是船上有二十多個各國的記者，本來是去採訪美濟礁的，現在想到我們艦上來採訪艦長，我回絕了他們，沒想到他們還不死心。』

是記者。

『要不要立刻警告他們撤走？』吳本立問。

『不，讓他們來。』林永祥說，『我去準備一下，他們到了就通知我。』

吳本立不解的看著林永祥的背影，他想起剛才公用頻道上出現的聲音，他喊住林永祥：

『報告艦長，我忘了向你報告，二十分鐘前夫人在呼叫你，你要不要回答？』

林永祥停住了腳步，但馬上就繼續向前走，他淡淡的說：

『不用了，我不想再給她找麻煩。』

么三洞發出隆隆的巨聲降落在東沙島的跑道上，劉興國把林志霄和楊易帆都叫醒，林志霄揉著眼問：

『怎麼，可以回台灣了呀。』

劉興國笑笑：

『不是回台灣，你們有新的任務了。』

隨么三洞來的還有副總司令，這使劉興國感到事態的嚴重性，機工馬上開始把從台灣運來的雄風飛彈安裝上幻象，也再對武器系統做一番檢查。副總司令則對林志霄等把任務說明一遍，林志霄聽完後馬上回答：

『報告副座，我了解林永祥，他不是變節的人，他也不喜歡出風頭，其中一定有隱情，讓我來問他，我不能對沒有叛國的自己兄弟下手。』

副總司令拍著林志霄的肩膀：

『總司令早料到你會有這種反應，所以才教我來，這是任務，沒有私人的感情，我們也都不願意對海軍的那群苦難弟兄下手，可是美國人給了最後通牒，林永祥到現在也沒有回音，我們只好動手，這是總統親自下的命令。』

林志霄仍不願意，他敬了個禮：

『報告副座，換別人去，我沒辦法，我做不出來。』

『林志霄，這是命令，違抗命令馬上法辦。』副司令氣憤的喊著。

『至少讓我跟林永祥說話，我來勸他。』

副總司令沒辦法，他向總部請示後，同意林志霄和林永祥通話。指揮中心立刻設法透過公用頻道和龐克希爾號聯絡，可是對方沒有回答，林志霄喊了許久，最後他對著通話器說：

『你這個王八蛋的林永祥，我是林志霄，你別頭昏了好不好，趕快回答我。』

龐克希爾號收到了林志霄的呼叫，吳本立知道林志霄，每個海軍都知道這個混蛋的名字，他和海軍有不共戴天之仇，但他找艦長要做什麼呢？吳本立還是通知了艦長，沒想到艦長眞來了，他聽著林志霄的罵聲，然後笑著拿起通話器說：

『林志霄，這麼多年，你一點也沒變。我不能多說話，你要來看我是不是，歡迎，我等你，我不相信你這次還有好運能躲得過海軍的偵察。拜拜，我等你。』

放下話筒，林永祥對吳本立說：

『美軍不來了，來的是空軍的林志霄，老美要我們的空軍來幹我們，意料中的事。』

『怎麼辦？』吳本立問。

『不怎麼辦，記者到了沒有。』

菲律賓的登陸艦已經靠近了，李文龍帶著陸戰隊持槍荷彈的走到甲板的舷梯旁，吳本立說不能冒險，每一個上來的人都要有證件，並且要做全身的檢查。吳本立還是不懂艦長要和記者見面做什麼，天底下會有主持公理的記者嗎？

『等一下安排記者在上官廳，所有軍官都參加，也請那兩個老美參加。』林永祥說，『還有，你到艦長室來一下。』

吳本立跟著林永祥到艦長室，只見桌上堆著一些東西，還有一封信，林永祥說：

『我的前途難料，這是我的東西，你幫我收著，帶回台灣交給我太太，我終於決定了，我不去美國念書，我還是留在海上，我離不開海。』

吳本立接過東西，他有點不知所措，林永祥有什麼打算呢？

走出艦長室，林永祥把伙伕長叫來：

『你釘著艦長，我怕他會做出什麼來。』

伙伕長驚訝的看著艦長室的門，他說：

『艦長不是那種人呀。』

林志霄在東沙聽到了林永祥的話，他想再追問下去，對方卻關掉通訊了。林永祥到底要幹什麼呢？莫非他眞的要替海軍出一口氣，把他給幹掉？

副總司令很不高興的說：

『你看你，自作聰明，現在林永祥知道你要去攻擊了，這不是等於警告他嗎？我們不能有奇襲的機會了。』

林志霄馬上頂回去：

『報告副座，在龐克希爾號的神盾面前，我們早就注定不能奇襲了。』

機工長來報告，兩架幻象準備就緒，副總司令再做了一次任務提示，幻象上已裝妥美軍的敵我辨識電波，美軍不會攻擊幻象的，從巴拉望島出發以後，幻象採取低飛，高度在五十公尺，由海象來看，風浪不到四級，連浪花也不會看到，所以幻象可以儘可能的低飛，逼近到一百公里處，楊易帆飛高，吸引龐克希爾號的注意力，做快速爬升的動作，林志霄則繼續挺近至七十公里處投射飛彈，兩枚全部發射，而後迴轉退出，和楊易帆會合後回巴拉望島加油，看狀況再做第二次的攻擊。

『報告副座，如果遇到其他狀況呢？』

『什麼其他狀況？』

『像是老共或越南的飛機來攔截。』

『不可能的，』副總司令說，『美國艦隊和艦載機就在周圍，誰敢飛過來。』

『我是說萬一。』

『沒什麼萬一的，我沒帶空對空飛彈來，你只有機砲。』副總司令說，『喂，林志霄，我警告你，這次別給我出狀況，有一個海軍的林永祥就夠嗆的了，空軍可受不了你在這個關頭要帥，老實點，回去我放你特別假。』

特別假是滿有吸引力的，林志霄想，正愁沒辦法去法國見蘇菲，可是教他去把林永祥幹掉，他做得出來嗎？

參謀本部收到美軍的消息，一支數量龐大的中共海軍艦隊正從西沙南下，目標可能是太平島，這支艦隊估計有五艘驅逐艦和五艘巡防艦，還配有七艘的其他艦隻，是美國近年來在大陸外海所發現的最大一個艦隊，而偵察衛星也發現有不明的潛艦在南沙北面海域活動，美軍已派出一艘驅逐艦和一艘巡防艦至該海域內配合航艦上的反潛機進行探測，初步預料，那是中共向俄羅斯購入的新KILO級潛艦。

另外更不好的消息是，美國已確定中共在西沙永興島進駐了十架的蘇愷，尚有其他十二架與四十架的殲八乙戰機也從華中調到華南，集中在廣東北部的一個機場。美軍要求台灣空軍的預警機配合美國航艦上的預警機，保持二十四小時的空中警戒。

美軍要求台灣對中共的行動做評估，最重要的是，林永祥有沒有可能投向中共，否則中共艦隊的南下是何用意呢？

政戰總部和海軍政戰部開始清查林永祥過去的所有活動，研究林永祥和中共是不是有過聯絡，同時也下令，幻象戰機儘快展開行動。

龐克希爾號上也收到中共艦隊拍來的明碼，請林永祥接受他們的保護，並且希望林永祥和他們在公用頻道上談談。

談談？吳本立和李文龍都很慌，難道艦長是想投匪？

林永祥聽到消息也來到戰情中心，他看完電報哈哈大笑，他對中心內所有的人說：

『有誰想做共產黨？沒關係，舉手。』

沒人舉手，林永祥沈下臉說：

『我林永祥從小受到的教育就是殺共匪，現在局勢改變，也沒有共匪了，可是共產黨還在，教我和老共打交道，想也別想。李文龍，進入戰備位置，如果老共真來，我們再試試美國人的魚叉飛彈。』

戰情中心興奮起來，林永祥發現，讓官兵最快樂的事可能莫過於打共匪了。

陸戰隊員來通報，記者已經抵達，正一一接受檢查登艦之中，李文龍趕去和上官廳的老盧會合負責安全，吳本立則下令所有軍官集合，由賴正中帶往上官廳，他則留守在戰情中心內。吳本立是很想去記者會的，他很好奇，艦長究竟要告訴那些親美國的記者些什麼呢？

林志霄對幻象的新迷彩很不以爲然，太土了，可是他不能挑剔。他和楊易帆檢查機上的各個部份，特別是機砲子彈和雄風飛彈，他問副總司令：

『報告副座，中科院的雄風眞的管用嗎？我怎麼聽說它有問題。』

副總司令很不高興的罵起來：

『林志霄，你他媽的放心，空軍不會拿你去送死的。』

沒有一個人好脾氣，林志霄對雄風很有興趣，他想試試幻象在攻擊時的性能，可是他又不想對龐克希爾號下手，眞希望老共的艦隊早點到太平島，說不定到時候情況改變，他可以拿老共的船來試幻象。

劉興國突然說：

『報告副座，我能不能和林志霄一起去？』

所有的人都怔住，劉興國原是飛F-5E的，他從沒有接觸過幻象，在這個關頭上，他怎麼會有和林志霄共乘的念頭?

『副座,幻象是雙座,可以容納我,我去了也許可以幫林志霄,當他的武器管制員,他專心飛行,我來發射飛彈,效果會更好,而且我坐在後面,如果林志霄有別的念頭,我拿手槍馬上轟了他。』

林志霄大笑起來,看來劉興國是非上幻象不可的。他招著手說:

『來,劉興國,不差你一個。』

副總司令也沒反對,林志霄想,副總司令對他絕對不放心,他可能眞相信劉興國那套坐在後座進行監視的說法。

劉興國很高興的去著裝,但東沙沒有多餘的抗G衣,他把么三洞副駕駛身上的那套剝下來,林志霄也把後座的東西清理下來交給么三洞的飛行員:

『這是我從法國弄回來的寶貝,幫我帶回台灣,一樣也不准少。』

楊易帆在一旁笑,他也把自己座機裡的東西淸給么三洞。

飛行前,林志霄把劉興國和楊易帆叫到他飛機下做行前默契,他小聲的說:

『楊易帆，林永祥是我的，你就照吩咐，爬升起來後就迴轉回巴拉望，別管我，記得了吧，林永祥是我的，你的兒子是你的。劉興國，是你自己找上來的，還是老話，你老實的坐著，林永祥是我的。回台灣，我們三個人都要去台東的老陳純喫茶，每個人要坐滿兩個小時才准出來，否則請吃龍蝦。』

三個人笑起來，副總司令迷惑的看著他們，他顯然很不放心。

『林志霄，別搞花樣，只要不聽從命令，回台灣我教你去警衛旅上班，每天管機場的大門。』

『是。』林志霄大聲的喊。

劉興國很興奮的坐進後座，林志霄對他說：

『你放心，你先熟悉儀器，到了菲律賓我會讓你飛的。』

幻象緩緩的進入跑道，東沙的跑道很短，對於戰機的起飛是相當不利的，林志霄倒不在意，他在通話器裡對楊易帆說：

『小朋友，點後燃器衝上去。』

接著他對塔台說：

『這裡是么八洞么，請求起飛。』

兩架幻象拉著火紅的尾巴衝進蔚藍的大海裡，副總司令看著幻象離去，他正要離開跑道，怎曉得兩架幻象居然又飛回來，而且是以低空高速的衝場，飛機幾乎都貼到塔台了，轟的熱氣罩住整個跑道，把副總司令的軍帽都吹飛了好遠。副總司令對著天空大喊：

『林志霄，我要把你停飛，一輩子停飛。』

三比一，就算張青雲決定和老共的潛艦部隊發動攻擊，他也在兵力上居於劣勢。羅密歐級的最大潛航深度是三百公尺，有八具魚雷發射管，射程大約是十一公里，是屬於老式的聽音魚雷，由潛艦先設定攻擊的目標和時間，發射魚雷後，到達接近目標物時，會自動搜尋音源，再行鎖定攻擊。KILO級比較新，也是八具魚雷發射管，潛航深度可能到達三百五十公尺。前者的航速是十二節，後者是十六節。和它們比較起來，海龍的潛航速度可達二十節，速度略快，潛航深度是三百公尺，而且噪音也小。儘管海龍有若干的優點，可是一比三仍是不利的戰局，周文傑感到很頹喪。

張青雲安慰周文傑：

『情形沒有那麼悲觀，你放心，我們有英國的虎魚式魚雷，這是最先進的，不過聽說老共也買到，不知道是不是眞的，這三條鳥艦也不知帶了虎魚沒有。』

虎魚是一種線導的主動和被動混合式聽音魚雷，它的射程可達二十一公里，不久前據說英國賣給了中共，作爲中共新的宋級和KILO級潛艦上的主要武器。

聲納士又有新消息報告，他聽到一艘水面船隻的螺旋槳聲音，正朝這個海域駛來，速度約十二節。是什麼船呢？

『是PERRY，』聲納士微笑著說，『我打瞌睡也聽得出來。』

PERRY就是國軍的成功級，海龍和成功級做過許多次對抗的演練，難怪聲納士對來艦的螺旋槳聲音那麼快判讀出來。

莫非美艦發現水底有東西？

『不像是，』聲納士說，『它的航速很慢，不是戰鬥速度。』

PERRY是出色的反潛艦，不僅艦首的底部裝有聲納，也有兩架SH-60反潛直升機，有反潛魚雷和反潛火箭。

張青雲盤算了一下，他對周文傑說：

『好，不管老共是來打林永祥，還是來製造衝突的，我都陪他玩玩。』

周文傑吃驚的看著張青雲，此時張青雲臉上透著興奮的笑容。

一共是二十七個記者，大部份是各國新聞社駐馬尼拉的記者，不過有三個一組的人員是美國CNN從紐約來的，日本也有五個記者，意外的是台灣也有記者來。在閃光燈裡，林永祥安詳的走進上官廳，他先把自己做了一番介紹，並爲所有的人介紹南陽艦上的軍官，最後他還介紹了彼得和他的兵器長。

『歡迎登上美軍的龐克希爾號巡洋艦，我要強調，是美國的，我只是暫時借用。』

接著林永祥把運補支隊的任務和當天海上發生的事做了說明，他只隱瞞了搜尋么四洞五的部份。

『在此我要向彼得艦長道歉，當天的情況純粹是機緣，軍人最重要的就是武器，我給彼得艦長造成很大的麻煩，他恐怕要丟官了，我只能說抱歉，我必須要搶救我的部下，那時在海上除了上龐克希爾號，我沒有其他的選擇。』

上官廳內的氣氛很低，記者們搶著發言，一個日本記者問，什麼時候會把軍艦還給美國，林永祥說：

『很快，很快的，我在等一個人，他來了以後我就會把船還給彼得艦長。』

等誰？林永祥沒說。李文龍、老盧和在場的軍官都很困惑，艦長要等誰呢？

『我不能不再強調一次，我的兩艘軍艦，將近四百個官兵，現在只剩下五十八人——』

醫官走進來，他紅著眼說：『報告艦長，朱火貢掛了。』

全場靜止下來，沒有人說話，也沒有人哭，直到林永祥再次開口：

『修正，五十七人，我們的艦務長剛去世，我是一個很不合格的海軍軍官，我沒有完成我的任務，卻讓這麼多的官兵因我而死，也使我的國家遭遇空前的外交困境，我是個不合格的海軍。』

沒有記者再發問題，林永祥是由賴正中扶下去的，李文龍則喊伙伕長上菜，所有軍官和記者一起會餐，彼得和他的兵器長也在內，這是林永祥交代的，他們沒什麼好隱瞞的，讓記者自由的在艦上和每一個人談，包括彼得在內。

中共的艦隊繼續南下之中，一架直九竟出現在龐克希爾號不遠的天空，吳本立叫士兵維持監視，暫時不需要動作，中共艦隊此行顯然是想表達對龐克希爾號上台灣官兵的支持，以便說服南陽艦上的人員駕著龐克希爾號投共，可惜老共的算盤打錯了，沒有一個人對共產黨有興趣，要是中共的軍艦太靠近，龐克希爾號是會沒有顧忌的開火的。

林永祥從記者會回來後，就一個人坐在艦長椅上沈思，在這短短的一天多裡，林永祥像是老了二十歲，而且人也變得深沈，不是當初出海時那個爲是否去美國念書而心煩的林永祥了。現在可以確定的是，林永祥絕不會去美國，即使去，也會是以海盜的名義去接受美國司法的審判。那麼艦上其他的人呢？一連串的事情不停的發生，使每一個人都沒有思考的時間，大家所想的都只有自衛和出氣，現在大家都靜了下來，不能不想接下來又要怎麼辦呢，在南海上繼續的飄流，做個沒有目的地的海上流浪者？

雷達幕上顯示，有九架飛機正快速的接近龐克希爾號，是老共的蘇愷，吳本立走到林永祥身邊向他報告，林永祥說：

『發射兩枚標準飛彈，嚇嚇他們，不要擊中。』

李文龍不在，吳本立覺得自己就能處理，他下令前艙兩枚標準飛彈準備，射高五千公尺，當蘇愷接近到八十公里時，吳本立下令發射，兩枚飛彈朝空中奔馳而去，在天空形成兩團煙霧的爆炸，蘇愷立刻轉向，折回西沙，直九也回頭，雷達幕上的中共艦隊也停止了前進，停留在距龐克希爾號西北方五十海浬處。林永祥突然站起來：

『召集所有人員在前甲板集合。』

林志霄的飛行很順利，在馬尼拉附近的軍用機場加完油後就直奔巴拉望島，他對劉興國說：

『好，現在由你操作，記住，線控系統很敏感，你只要手上用點力就可以。』

劉興國接過來操作，一開始很緊張，但馬上就進入狀況，他做了個五G的動作，感覺很好，就加速向上空衝去，耳機裡傳來楊易帆的聲音：

『帥，學長，你再飛個兩三次就可以贏過我們隊長了。』

幻象在天空翻滾著，他們不再有油料的顧忌，可以盡情的飛行。

『雷達幕上早就出現三架美軍航艦上的F-14雄貓式戰機，始終和他們保持約三十公里的距離，林志霄對楊易帆說：

『我們去看看雄貓吧。』

幻象一掉頭，就朝F-14所在的位置飛去，林志霄接過操縱，耳邊傳來美軍的聲音：

『Mirage, keep your route.』

雄貓就在眼前，林志霄很想再做個『眼鏡蛇』逗逗老美，可是他的飛機掛了彈，又多出一個人，他不敢冒險。忽然，他看到楊易帆拉高高度，接著俯衝而下，到了八千公尺處放慢速度，這小子想幹什麼？

『學長，』楊易帆呼叫林志霄，『這次換我來。』

林志霄沒有攔阻他，他只對劉興國說：

『注意看，楊易帆要表演了。』

在三架美軍的雄貓戰機前，楊易帆把機首用力拉起至六十度，再重重的放下，而後一個翻轉的向西飛去，林志霄也跟上去，他聽到楊易帆對美機說：

『See you, my friends.』

林志霄狂笑起來。美軍飛行員的聲音也傳來：

『Nice show, mirage, I love your cobra.』

一個飛行員的成熟竟是那麼的快，楊易帆成熟了，林志霄不禁想，在掛彈和副油箱的負載下，楊易帆是怎麼做到『眼鏡蛇』的呢？

『報告學長，』楊易帆回答他，『這不是什麼了不起的秘密，不是你教我的嗎？勇氣呀，我是用勇氣飛的。』

林志霄罵起來，陸海軍說得對，在空中飛的沒有一個是老實的。

他們趕去巴拉望做最後的加油，然後就要對付龐克希爾號了，不，對付海軍的林永祥。

第十章　最後的旅程

張青雲坐在指揮中心的中央，他聽著聲納士報來的中共潛艦距離，他對作戰長發出命令：

『打開音響，開車。』

音響聲大作，那是他在一次海底長期潛航訓練時，於太平洋所錄到美國洛杉磯級核子動力攻擊潛艦的推進器聲音，他是當作好玩的收藏起來，沒想到在這個時候派上用場。這種聲音在海底的聲納裡聽起來是驚人的，他相信會把老共的三艘潛艦給嚇一大跳。然後他下令一號魚雷管注水，準備發射。

海龍動起來，從海底浮起，現在它的艦首正好對著迎面而來的老共潛艦部隊，老共應該也發現了海龍。

聲納士喊著：

『海中目標，距離十八海浬，海上目標，距離五海浬，正加快速度趕來，速度二十九節。』

張青雲喊：

『一號魚雷發射。』

兵器長跟著複誦，虎魚魚雷沒有出聲的從海龍的艦首射出，聲納士專注的聽著。

『魚雷發射，航向正常，KILO級開始注水，羅密歐一號注水，羅密歐二號注水。』

在發射魚雷之前，發射管內要先注水，打開彈艙口，從聲納裡可以聽到魚雷發射管打開注水的聲音，這意味中共的三艘潛艦都也做發射魚雷的準備了。

海龍號內只有沈重的洛杉磯級潛艦推進器的聲音。一秒，兩秒，五秒。張青雲看看周文傑，周文傑正低著頭盯著自己緊握的雙手。

艦身輕微的顫動，聲納士發抖的喊著：

『命中目標。』

張青雲馬上下令：

『左車進三，三十度上浮，釘住PERRY。』

潛艦緩緩的往上升，聲納士再喊：

『五百公尺、四百、三百、兩百。我們在PERRY的正下方。』

全艦再陷入緊張的等待之中。

『PERRY駛離，朝西北方向去。』

張青雲再滅：

『下潛。』

艦身再次下沈，到達兩百五十公尺時，張青雲說：

『航向正北，全速脫離戰場。』

海龍鼓足氣力的朝台灣海峽方向駛去。海中發出顫動，海龍也顫抖起來，是美國的巡防艦開始對中共剩下的兩艘潛艦展開攻擊，應該是一枚Mk32型的魚雷吧。

周文傑此時才抬起頭來，張青雲笑著對他說：

『放心吧，林永祥有救了，我們剛替美軍的洛杉磯級潛艦，幹掉了一條老共的KILO。』

這次的海底事件和么四洞五號機失事，同樣是南海衝突中永遠不可解的謎，因爲美國巡防艦的報告是一艘洛杉磯級潛艦擊沈了中共一艘KILO級潛艦，洛杉磯級潛艦在發動完攻擊後還避到巡防艦下方，使中共另兩艘潛艦一時之間沒有還擊，馬上被巡防艦驅走，可是美國海軍的調查，在那段時間，美軍並沒有洛杉磯級潛艦在南中國海値勤。中共方面也沒有提出抗議，因爲兩艘羅密歐級潛艦的報告是被不明國籍的潛艦攻擊，該艘潛艦在攻擊了KILO之後，還打算攻擊美國的巡防艦。

有些懷疑指向台灣的潛艦，但是美國衛星的照片顯示，整個南海衝突的過程中，海龍和海虎都停泊在左營軍港內，除非台灣還有第三艘的新式潛艦。

第四台的CNN頻道上播出林永祥在龐克希爾號上的記者會全部經過，台灣的民情激動，終於所有的人都知道南海發生了什麼事，也知道南陽艦上官兵爲什麼要佔領龐克希爾號，立法院也對國防部展開緊急質詢，立委追問的焦點是軍方究竟要怎麼處理這個事件，是否眞如CNN所報導的，派出戰機去炸龐克希爾號，炸死那些台灣的海軍官兵，還要對美方做喪權辱國的賠償。

國防部長知道不能再隱瞞了，便老實的把美方所提出的最後通牒公開。每個人聽完後都明白事態嚴重，台灣是禁不起美國的報復行動的，可是林永祥他們也沒有錯，最重要的是民間對南陽艦上的官兵充滿了同情。一位立委表示，南陽艦官兵的處境和政府處理南沙問題一樣，他說：

『到現在我們才徹底明白，我們眞是個無足輕重的小國啊。』

參謀本部知道再不處理，事情會演變得不可收拾，下令空軍馬上執行攻擊龐克希爾號的行動，空軍總部回報，兩架幻象都已經在巴拉望完成作戰前最後一次的加油，已經出發往太平島進行攻擊了。

林志霄和楊易帆在巴拉望機場落地，那是一個民用機場，不是很大，但美國的後勤部隊已經建立起補給站，爲幻象加油，他們沒有多做停留就起飛，向西飛去。

龐克希爾艦上則顯得很平靜，記者們圍在前甲板四周，五十六名台灣的海軍整齊的排在指揮台前，林永祥和兩個美國軍官站在飛彈槽上面對著所有的官兵。

林永祥很平靜的說：

『各位兄弟，南陽艦和中興艦奉命至南沙太平島運補，終於不負使命的完成，各位的努力沒有白費，我也要謝謝各位對我的支持。回程途中不幸中興艦遇難，劉金虎艦長和許多兄弟目前仍生死未卜，各位都知道劉艦長和我從官校就在一起，而各位也有許多經年累月在海上歷練出來鐵打交情的兄弟，在他們落海之後，我不能領著各位去救他們，我自認愧對全體海軍。身為艦長，在南陽艦遇難時，未與艦共存亡，甚至拋下那麼多的同袍，先爬上美艦逃生，我更枉為海軍。』

林永祥停下話，他伸手解下沾滿油污軍服衣領上的官階，走上前交給吳本立，然後再很慢的走回他原來站的地方。

『我對不起海軍，也對不起各位。也許有很多人想，我為什麼又再次不服從上級命令向美軍投降呢？各位跟著我上這條軍艦來，我要負責，我不能再讓任何一位同袍受到傷害，所以我決定撐下去，本來我打算把各位送回台灣去的，但太平島發生戰事，我有責任支援守軍，這點我自認是整個任務中，唯一對得起國家和海軍的。』

林永祥看著他面前的每一張臉，他流下了淚，他說：

『我只能把各位送到太平島，這裡也是中華民國的領土，算是我盡的最後一份責任吧。現在起，吳作戰長和李兵器長會領著各位登上救生艇，太平島目前糧食和淡水都不缺，能夠收容各位，海軍也會在這個事件完全結束後，派船來接各位的。再見，我的兄弟，這段日子裡，我們比兄弟還親，我把你們帶到這個困境來，只希望你們能原諒我，也希望其他的弟兄能獲救，否則我林永祥來生也贖不了這個罪過。我最後的命令是棄艦，不准留下一個人。再見了。』

林永祥舉起他的右手行禮，吳本立也大聲喊出口令：

『敬禮。』

有人流淚，有人紅著眼，但沒有哭聲，在吳本立和李文龍的牽領下，他們整齊的走到艦舷，吳本立吹起手中拿著的哨子，他吹出『答—滴—』，然後大喊：

『請求離艦，向艦尾旗敬禮，敬禮。』

所有官兵立正向艦尾的美國國旗行禮，彼得和他的兵器長也站在船邊舉起他們的右手向離艦的官兵行禮。在李文龍的引導下，所有的人如同來的時候攀著繩梯落至艦旁的兩艘救生艇裡。吳本立是最後一個，他回頭對林永祥說：

『報告艦長，我想留下來。』

林永祥沒有笑容的搖頭：

『這是命令。』

吳本立向林永祥再行禮，然後他也順著繩梯進入救生艇，又是一響哨子聲，兩艘救生艇緩緩的駛離龐克希爾號，向太平島航去。

艦旁還停著一艘救生艇，那是菲律賓海軍登陸艦送各國記者來的，林永祥轉身對各國記者說：

『各位，不久之後中華民國的空軍戰機會來轟炸這艘軍艦，請各位也馬上離艦。』

所有的記者也沒說話的靜靜登上他們的船離去。

艦上出現罕見的寂靜，林永祥笑著向彼得說：

『現在我把龐克希爾號還給你。』

林永祥向彼得行個軍禮，他便獨自走向艦首的一二七厘砲去。彼得看著林永祥的背影，他對著林永祥的背影也再行了個禮，接著就和他的兵器長回身向戰情中心走去。

當這麼大的軍艦上只剩下三個人，而且停在遙遠的南海，林永祥感到尤其的孤獨，他一級級的攀上砲塔，然後站在砲塔上，風很強勁，吹得他幾乎站不住，但他試著平衡自己，終於挺直的站在風裡。

通過巴拉望島外緣的小礁，幻象已進入南沙，美軍的空中預警機和林志霄取得聯絡，不久前有幾架蘇愷出現在太平島西北方，被龐克希爾號用飛彈嚇走了。林志霄對楊易帆說：

『Billy，林永祥眞的幹了。』

楊易帆回答：

『可惜他把蘇愷全趕跑，沒留給我們。』

後座的劉興國說：

『你們玩COBRA玩上癮了啊。』

林志霄的心情很輕鬆，一點沒有去作戰的感覺，他甚至想在空中再試試超過九個G的大動作。他對楊易帆說：

『我陪你玩好了，等一下聽我的。』

劉興國很不情願的插嘴：

『什麼時候讓我玩玩。』

距離龐克希爾號只有一百公里了，楊易帆按照作戰指示的加大馬力把機頭一拉就向上竄起，林志霄則繼續低飛貼近龐克希爾號，按預定的，他應該在四十公里處發射雄風飛彈，他沒有，他也一個拉升，筆直的竄進高空，再向下俯衝，到了兩千公尺處慢下速度，一個翻轉，把機腹對著天空，劉興國哇哇叫起來：

『你給我們一點提示可不可以，我的胃都翻過來了。』

楊易帆的幻象也轉回來，正好飛進林志霄的下面，兩架飛機一正一倒，幾乎貼在一起的朝龐克希爾號飛去。他們看到那艘巨大的灰色軍艦了，但沒有飛彈來，是一門砲，艦首的砲上站著一個人，是林永祥，林永祥站在砲塔上揮著一塊白布，兩架幻象一左一右各做了個翻滾，從林永祥的兩側飛過去。

美國預警機喊著他們，要他們不要攻擊，因爲台灣的海軍已經投降了。林志霄回答他們：

『是的，那個台灣海軍的艦長剛才舉起白旗向我們投降了。』

飛機再轉回來，這次兩架都把速度放得很慢，林永祥仍孤獨的站在砲塔上，兩架幻象擺動機翼，接近到能看清楚林永祥臉孔的位置垂直拉起，在空中不停的翻滾，留下一圈圈的白色噴射尾巴。

林志霄對楊易帆說：

『小子，任務完成了，回台灣吧。我們成功的迫使林永祥投降，我可以向副總司令討我的假了。』

楊易帆的笑聲傳來：

『你的巴黎假期。』

林志霄說：

『興國，接著你飛吧，我有事要做。』

劉興國快樂的說：

『好，我來飛，你現在有什麼屁事好做，幻象上有空中電話讓你打到巴黎去啊。』
『不是，』林志霄說，『我要專心唱歌。』
說著，林志霄就唱起來：
『我不知道他的名字，我對他也一無認識，我的士兵，他一整晚的愛我，而且如預期的扔下我，在充滿陽光的清晨離去……』
楊易帆和劉興國罵起來，他媽的發春的豬。英文也插進來，是美國預警機上傳來的聲音，『Hey, is it a French song?』林志霄大聲嘶喊著，我的外籍兵團士兵，我的外籍兵團士兵……
幻象快速的掠過海平面，把表層的海水掀起至半空中，當水珠再落下時，幻象已不見了蹤影。

附錄

〈附錄一〉

幻象2000–5戰機

爲了空軍的第二代戰力，國軍在二代戰機上，迄今爲止主要是分爲幾個部份：

第一、由航發中心研製經國號戰機，如今已經在台灣淸泉崗成軍。

第二、向法國採購六十架的MIRAGE 2000-5戰機，也進入量產階段，可望在一九九六年底陸續交機。

第三、向美國採購一百二十架的F-16戰機、四架的E-2T空中早期預警機。

其中的幻象兩千戰機因爲是我國首次採用美國以外的戰機，因此最引人注意。

幻象兩千是法國在七〇年代末開始研發的一種新世代戰機，它只有一具發動機，可是出力很大，使用後燃器時可達九千六百多公斤，在高度一萬一千公尺時，最大的飛行速度可以到達二點二個馬赫，而且續航力亦可達一萬六千公里，它的最大特色是可以執行多種任務，例如對空攔截、空中纏鬥、對地攻擊和空中偵察等。

我國所購買2000-5是此型戰機中的外銷型，較傾向於對空的作戰，可是電子系統方面有很大的改良，採用新的RDY射控雷達，配合上五具終端顯示器，使其在作戰時能有更好的反應能力，而且也可以發射新的全主動雷達導向空對空雲母飛彈。

在武器掛載方面，執行空對空任務時，它的配備是四枚中程的雲母飛彈、兩枚追熱式的近程魔術二型空對空飛彈、三具副油箱和兩挺三〇厘的機砲。執行空對地任務時，可以掛兩枚雷射誘導炸彈或傳統炸彈、雷射指引莢艙和對地熱源掃描儀。執行空對海任務時，則可掛兩枚飛魚空射式反艦飛彈。

2000-5對我國空軍的最大意義是在戰機的反應能力大爲加強，一般的戰機使用兩種空對空飛彈，近程的追熱式和中程的雷達導引飛彈，關於雷達導引飛彈，大部份都是半主動導引，也就是說，戰機的雷達把電波打到敵機上，當電波反射回來時，戰機就可以鎖定住敵機，而後發射出飛彈，飛彈便依照這個電波直撲向敵機。也就是說，在飛彈擊中敵機之前，雷達的電波要一直鎖住敵機，否則飛彈會喪失導引。

新一代的全主動雷達導引飛彈，則是把雷達『迷你』化，裝在飛彈上，當戰機發現目標物，把電波打在敵機身上，再把此一資料轉給飛彈，把飛彈發射出去後，飛彈本身可以打出電波，自己鎖住敵機。這種新的飛彈使戰機可以同時對數架敵機展開攻擊，國際間稱這種飛彈為『FIRE AND FORGET』武器，意思是發射出去就視同擊落敵機了。

2000-5所使用的雲母飛彈便是『FIRE AND FORGET』武器，因此我們可以看出這種戰機的戰力是不可以和傳統戰機相比的。

幻象2000-5諸元表

・長×寬×高……14.35×9.13×5.20公尺
・翼面積……41平方公尺
・總重量……10,850公斤

・發動機推力……9,698公斤
・最大速度……2.2馬赫
・海平面上升率……15,000公尺／分
・續航距離……16,000公里
・武器掛載量……6,300公斤

〈附錄二〉

蘇愷二七戰機

這是號稱全世界飛行性能最好的戰機，前蘇聯在一九七七年開始試飛蘇愷二七時，曾是美國情報單位偵察的重點，電影『火狐狸』中，克林伊斯威特從蘇聯偷走的戰機便是影射蘇愷二七。

出廠之後，蘇愷二七連續打破美國F-15戰機所保持的五項快速爬升世界紀錄，更首次在國際航空展上做出令西方各國驚訝的『眼鏡蛇』動作。直到現在，美國仍承認在飛行性能上，蘇愷二七是世界最好的，只不過俄國的電子技術較美國落後，因此整體戰上打了折扣。

蘇愷二七有兩具出力很大的發動機，合計總推力是兩萬五千公斤，最大飛行速度達到二點三五馬赫，也就是時速兩千五百公里，也因爲體積大、推力大，所以武器掛載量亦大，空戰時可掛十枚飛彈。

中共在一九九一年和蘇聯達成交易，購買了二十六架蘇愷二七，最近將增購，對台海的空防形成很大的威脅。

蘇愷二七諸元表

・長×寬×高……………21.94×14.7×5.93公尺

・翼面積……………62平方公尺

・總重量……………30,500公斤
・發動機推力…………12,500公斤×2
・最大速度…………2.35馬赫
・海平面上升率………19,000公尺／分
・續航距離…………4,000公里以上
・武器掛載量………10,000公斤以上

〈附錄三〉米格二九戰機

和蘇愷二七同時開發的蘇聯戰機，運動能力也很強，因此西方各國在比擬蘇愷與美國F-15相當時，亦把米格二九和美國的F-16相比。

基本上米格二九比蘇愷二七小一些，但是性能也不差，最大速度也可到達二點三五馬赫，總重量則只有一萬八千公斤，屬於空中纏鬥型的戰機，執行空對空任務時，一般是掛六枚飛彈出擊。

前蘇聯和現在的俄羅斯都以米格二九爲外銷的主要戰機，已生產了兩千架以上，外銷至十多個國家，例如伊拉克、伊朗和印度，是這些國家的空軍主力戰機。

米格二九和蘇愷二七是用相同的雷達，都是N019型，有效探測範圍爲一百公里，也有紅外線探測儀，能在夜間偵測空中的目標物，也有雷射測距裝置，用作空戰時測定敵機距離之用。

由於比較輕巧，它的油量也較少，續航距離是三千八百多公里。

米格二九諸元表

・長×寬×高……17.32×11.36×4.73公尺

・翼面積……………38平方公尺
・總重量……………18,000公斤
・發動機推力………16,600公斤
・最大速度…………2.35馬赫
・海平面上升率……19,800公尺／分
・續航距離…………3,890公里
・武器掛載量………8,000公斤

〈附錄四〉
龐克希爾號飛彈巡洋艦

美國海軍最主要的防空巡洋艦，同級的第一艘是提康迪羅加號，所以又稱提康迪羅加級巡洋艦，第六艘就是龐克希爾號，美軍編號為CG-52，飛彈發射系統完全換新，由原來Mk26 MOD 5型的雙臂式投射機改為Mk41 MOD 0型的垂直發射系統，使其能同時發射多枚飛彈而戰力大增，是美國繼愛荷華級戰艦之後，最主要的水面作戰艦種。

龐克希爾號的武器系統，艦對艦飛彈是兩具四連裝的魚叉反艦飛彈發射器，安裝在艦尾，而防空、對地、反潛飛彈則都安裝在垂直發射槽內，前後各一座，合計有一百二十二個發射槽，大部份是容納標準型（STANDARD SM-2MR）防空飛彈，它的射程是七十二公里，採雷達主動導引，飛行速度是兩馬赫。其次，也可安裝戰斧飛彈，這是美國海軍主要的戰略性武器之一，是一種巡弋飛彈，在波斯灣戰爭中曾大出風頭，射程高達兩千五百公里，也能換裝核子彈頭，在發射前可把目標物和行徑路線輸入飛彈的電腦中，然後飛彈就會按照記憶飛行，也是一種智慧型武器。戰斧也可用在反艦攻擊上，射程亦達四百六十公里。

這種垂直發射器尙可裝反潛火箭，也就是用火箭推進把反潛魚雷打進目標區，對水中的潛艦展開攻擊，魚雷的有效攻擊範圍是一點六至十公里。

此外龐克希爾號上還有五吋的艦砲、二〇厘的方陣快砲和反潛直升機機庫與甲板。

射控系統方面，可同時對海平面上下和空中進行偵察和攻擊，尤其是防空的射控系統，能同時鎖定十二個空中目標物，指引十二枚飛彈攻向敵機。

由它的武器系統就可以看出，龐克希爾號是一種水面上的大武器平台，可以說是目前全世界除了航空母艦之外，火力最強大的軍艦。

龐克希爾號諸元表

- 滿載排水量……9,590噸
- 長×寬×吃水……172.8×16.8×9.5公尺
- 最大航速……30海浬／時
- 續航力……6,000海浬
- 固定成員……358人
- 艦載直升機……SH-60B海鷹式×2架

〈附錄五〉陽字號驅逐艦

我國海軍的主力是陽字號驅逐艦，之所以稱爲陽字號，是因爲海軍把驅逐艦都以『陽』來命名，例如瀋陽號、當洛陽號等。

這些驅逐艦都是美軍在二次大戰後所建造的第一批驅逐艦，幾乎都在四〇年代中期完成，因此如今算起來艦齡都在四十年以上，非常的老舊，這也是海軍急著建造第二代戰艦的理由。

在新艦尚未有著落之前，海軍也對這些舊艦進行改良的工作，以期使陽字號能盡量符合現代戰場的需要，便有武進計畫的產生，此一計畫分爲三個階段進行，也就是武進一號至三號，其主要內容是把武器系統現代化，例如安裝美國製的海樹樹飛彈，作爲低空的防空飛彈；

又如把舊的五吋艦砲換成新式的七六快砲，增加準確度和射速，再把中山科學院自行開發出來的雄風一型反艦飛彈裝上艦，加強反艦作戰的能力。

最新的武進三號計畫則是把美國製的標準型防空飛彈和二〇厘方陣快砲裝上陽字號，完成我國有史以來的第一種防空艦。

無論武器系統如何改良，艦體的老化是無法阻止的，陽字號如今在航速、穩定性方面都很差，在成功級巡防艦和拉法葉級巡防艦完成後，陽字號勢必會退至第二線，擔任支援性的作戰任務。

陽字號諸元表（GEARING級）

- 滿載排水量……………3,500噸
- 長×寬×吃水…………119×12.6×5.8公尺
- 最大航速………………約25海浬

・續航力……………約5,000海浬
・固定成員……………275人
・艦載直升機…………500MD×1架

〈附錄六〉

海龍級潛艦

我國海軍原從美國取得兩艘加比級潛艦，都是四〇年代的產品，非常老舊，早就無法擔任第一線作戰任務，一九八七年由荷蘭建造的兩艘海龍級成軍，才算是潛艦的現代化開始。

這一型的潛艦相當先進，潛航速度是二十海浬，續航力達一萬海浬，能在水中不浮出水面的持續工作三個月，而且有很靈敏的水中聲納，被稱爲我國唯一的『戰略性武器』。

目前這四艘潛艦編成海軍的潛水戰隊，加比級的是作爲訓練之用。

海龍級潛艦諸元表

・潛航排水量……2,559噸
・長×寬×吃水……66.9×8.4×6.7公尺
・最大航速……20海浬（水中），12海浬（水面上）
・續航力……10,000海浬（時速9海浬）
・成員……67人
・武器……533厘魚雷發射管×6

〈附錄七〉
中字號戰車登陸艦

我國從美國取得數量相當多的戰車登陸艦，又稱LST，都是以『中』字來命名，例如中興號、中海號等，所以稱爲中字號。

這些軍艦是採開口笑的設計，也就是艦首前方有門可以打開，供戰車開出去搶灘，國軍則將它用作運輸艦，特別是對外島的運補，都是中字號負責，好處是即使外島沒有碼頭，也可以用登陸艇從開口笑駛出去運送物資和人員。

所有中字號都是四〇年代的產品，所以才會發生渦爐故障而軍艦擱淺的事故，因此近年國軍也爭取向美國採購比較新的新港級登陸艦。

中字號諸元表

- 滿載排水量…………約4,000噸
- 長×寬×吃水…………100×15.2×4.3公尺
- 最大航速…………約9海浬／時

・續航………………約15,000海浬
・成員………………100—125人

〈附錄八〉

中共江衛級巡防艦

中共原有的水面作戰主力艦種，包括旅大級驅逐艦和江滬級巡防艦，都是六、七〇年代的產品，相當老舊，因此中共海軍也努力將舊艦做性能提升，例如把舊式海鷹反艦飛彈改裝為新研發出來的鷹擊式，也將一艘驅逐艦和一艘巡防艦的後半部艦砲拆除，改成直升機甲板和機庫。

最初中共的這一連串被視為舊艦的武器系統改良，後來才確定，這些改良的終極目的是為新造的艦種做武器載台的測試，一九八八年，最新的江衛級巡防艦開工下水，一九九一年完成後進行海上測試，這是中共海軍二代艦計畫的一大部份，江衛級也正式在黃海上曝光。

江衛級是江滬級的後繼艦種，它的最大特色是武器部份的現代化，例如艦尾的機庫和甲板可以容納一架直九式反潛直升機，這是中共海面主力作戰艦隻中，首次有制式的艦載機設計。

反艦武器除了艦砲外，有六座鷹擊式飛彈的發射器，這種飛彈的射程是四十公里，飛行速度爲零點九馬赫，外銷時稱爲C-801。

江衛級也是中共首次在軍艦上安裝防空飛彈的新設計，有紅旗六十一型六連裝防空飛彈發射器，所用的飛彈是中共在法國協助下所開發出來的霹靂九型，這是半主動雷達導引的中高度防空飛彈，射程約十公里。

從九四年起的各項海空軍合成演習，江衛級都是其中的主角之一，未來將逐漸取代江滬級，成爲中共海軍的主力巡防艦。

中共江衛級巡防艦諸元表

・標準排水量……………2,250噸
・長×高×吃水…………115×14×4公尺
・最大航速………………25海浬／時
・續航力…………………6,000海浬
・成員……………………200人
・艦載直升機……………直九×1架

國立中央圖書館出版品預行編目資料

佔領龐克希爾號／張國立著．--初版．--臺北市：皇冠，民85
面；　公分．--(皇冠叢書；第2577種)(皇冠小說；2)
ISBN 957-33-1279-4 (平裝)

857.7　　84013421

<註冊商標第173155號>

皇冠叢書第二五七七種
皇冠小說2
佔領龐克希爾號
作　　者─張國立
發 行 人─平鑫濤
出版發行─皇冠文學出版有限公司
台北市敦化北路一二○巷五○號
電話◉七一六八八八八
郵撥帳號◉一五二六一五一─六號
登 記 證─局版臺業字第五○一三號
編務經理─方麗婉
印務副理─鄭淑芳
編務副理─朱亞君
責任編輯─朱亞君
美術主編─吳慧雯
美術編輯─吳慧雯
校　　對─謝慧珍・林貞華・邱淑梅
印 刷 者─耘橋彩色印刷公司
台北縣新店市寶興路45巷6弄5號
電話◉九一七五八三○
著作完成日期─一九九五年(民84)六月三十日
初版出版日期─一九九六年(民85)一月一日
◉法律顧問─蕭雄淋律師・王惠光律師

國際書碼◉ISBN 957-33-1279-4
Printed in Taiwan
本書定價◉新台幣200元